PSYCHO KILLER

—— **Anonyme** ——

PSYCHO KILLER

Traduit de l'anglais
par Cindy Kapen

Directeur de collection : Arnaud Hofmarcher
Coordination éditoriale : Marie Misandeau

© Sonatine Éditions, 2013, pour la traduction française
Sonatine Éditions
21 rue Weber
75116 Paris
www.sonatine-editions.fr

« *Je suis chaque jour le héros de mon propre film.*
Certains jours, sans le savoir,
j'apparais dans les films des autres.
Et j'y joue presque toujours
le rôle du méchant. »
Anonyme

PROLOGUE

Randall Buckwater n'avait pas prononcé un seul juron depuis le jour de son mariage, trente ans plus tôt, lorsqu'il avait promis à sa femme d'arrêter les grossièretés. Mais lorsqu'il fit demi-tour et enfonça l'accélérateur pour quitter la scène aussi vite que possible, il faillit bien en lâcher quelques-uns. À défaut, il opta pour la meilleure alternative qui lui vint à l'esprit. Il hurla les paroles de « On the wings of love » de Jeffrey Osborne. Ce n'était pas la réaction la plus logique à la situation et il n'admettrait jamais l'avoir fait quand on l'interrogerait au sujet de l'incident, mais il était en état de choc. Et de panique. Cela ne faisait aucun doute pour lui, la scène terrifiante dont il venait d'être témoin resterait gravée dans son esprit jusqu'à la fin de ses jours. Et « On the wings of love » ne sonnerait plus jamais de la même façon.

La nuit s'annonçait pourtant si calme, si ordinaire.

1

andall et son nouveau coéquipier, Pete, étaient postés sur le pont depuis quatre heures lorsqu'ils apprirent la triste nouvelle. Marjorie Buckingham venait de mourir. Cela faisait des mois que l'adorable vieille dame était malade et une vilaine pneumonie avait fini par l'emporter. Le commissaire O'Grady leur avait transmis la nouvelle par radio peu après deux heures du matin.

« Nous y voilà, dit Randall à son jeune acolyte, ta première mise à jour du panneau.

– Merveilleux... » répondit Pete avec sarcasme.

La voiture de patrouille était garée à droite du pont, juste à la frontière du comté. Face à la route, les deux hommes attendaient les automobilistes susceptibles de vouloir traverser le pont. Le panneau dont Randall parlait était celui qui affichait le nombre d'habitants et qui se dressait fièrement à l'entrée de la ville. On pouvait alors y lire :

B Movie Hell : Population 3 672

« T'as juste à retourner le 2, dit Randall, y a un 1 de l'autre côté.

– J'en ai rien à foutre de ce qu'il y a de l'autre côté, j'ai pas envie d'y aller maintenant.

– Pourquoi donc ?

– Y a un putain de rongeur géant dans les parages, répondit Pete d'un ton plaintif.

– Non, il n'y a aucun rongeur géant dans les parages. Allez, c'est un moment important. Ta première mise à jour. Tu devrais être fier. Je l'étais, moi, la première fois.

– Y avait combien d'habitants à l'époque ? demanda Pete.

– Deux mille quarante-quatre. Enfin, à l'époque ça s'appelait Sherwood County, un nom beaucoup plus approprié pour une ville.

– B Movie Hell, c'est quand même carrément plus cool, non ?

– Je trouve pas, non.

– C'est parce que vous êtes un vieux con. »

Randall observa le gamin assis sur le siège passager. Rien ne semblait pouvoir l'intéresser. C'était un gentil garçon, Pete. Il avait un cœur en or, mais de la merde à la place du cerveau. À dix-neuf ans, il avait la maturité intellectuelle d'un gosse de dix ans.

Randall se demandait parfois s'il n'était pas un peu comme lui à son âge. Et puis il se rendait vite compte que c'était impossible. À dix-neuf ans, Randall avait déjà épousé son amour d'enfance et il était sur le point de devenir père pour la première fois. Pour le bien de tous, il valait mieux que Pete ne se reproduise pas avant au moins cinq bonnes années.

« J'vous assure, y a quelque chose là-bas, dit Pete, en louchant à travers le pare-brise.

– C'est juste un bâton, ça bouge pas.

– À mon avis, c'est plutôt un écureuil, un énorme écureuil, putain. C'est carnivore, un écureuil ?

– Ça ne mange que des glands.

– Ouais, ben hors de question que je sorte de la voiture, dit Pete.

– Je te dis que c'est un bâton », affirma Randall.

Contrairement à son coéquipier, il n'avait pas besoin de regarder de plus près. Il préférait observer avec fascination son jeune apprenti. Cet idiot pensait vraiment avoir vu un écureuil dans les bois. Il n'y avait pas d'écureuils à B Movie Hell. Il n'y en avait jamais eu.

Le bois que Pete scrutait du regard se trouvait de l'autre côté de la frontière du comté, à trente mètres de B Movie Hell, dans le comté de Lewisville. Mais ça ne changeait rien, Randall savait très bien qu'aucun écureuil ne s'y cachait.

Ce débat pour savoir si ce qu'ils voyaient au loin était un écureuil ou un bâton donnait une idée de l'activité trépidante qui avait animé cette nuit incroyablement longue. Mais depuis le temps, Randall savait que, dans un patelin comme le sien, le boulot d'un flic n'avait rien à voir avec ce qu'il voyait à la télévision ou dans les livres. Le moment le plus palpitant de sa journée, c'était lorsqu'il négociait les « dons » pour sa cagnotte de retraite avec des automobilistes malchanceux contrôlés pour un feu arrière cassé ou un pneu un peu trop lisse.

« J'vous assure que c'est un écureuil, insista Pete, vous voyez pas cette queue crépue ? C'est un écureuil, j'vous dis. »

Randall hocha la tête en regardant d'un air perplexe l'idiot qui lui servait de collègue. La conversation, ce n'était pas son fort à Pete. Et son allure ne l'aidait pas vraiment à compenser cette faiblesse. Il avait cette coupe de cheveux ridicule qu'arboraient les jeunes de son âge, une sorte de nid d'oiseau qu'on s'attendrait à voir orné d'une paire de bois. Ses cheveux cachaient la moitié de son visage et n'amélioraient certainement pas l'état de sa peau, grasse et boutonneuse. Pour ne rien arranger, Pete semblait être incapable de fermer la bouche. Sa mâchoire toujours légèrement tombante donnait l'impression qu'il était sur le point de dire quelque chose, mais avec ses yeux constamment plissés (le gamin avait vraiment besoin de lunettes), cela ne faisait que renforcer son air benêt.

« Merde, je crois qu'il est parti, lança Pete en plissant les yeux un peu plus, le visage presque collé au pare-brise.

– Y a jamais rien eu. Tu veux bien aller changer le nombre d'habitants sur le panneau maintenant ? »

Pete haussa les épaules. « Pas maintenant, répondit-il en se tripotant l'entrejambe. L'écureuil pourrait bien revenir d'un moment à l'autre. Avec des renforts. »

Randall tourna la tête et regarda par la vitre côté conducteur. Il avait laissé une de ses mains sur le volant, pourtant ils étaient garés. Il n'avait pas la moindre idée de ce qui le poussait à le faire, mais il laissait toujours une main sur le volant, que le moteur soit allumé ou non.

« D'accord, imaginons qu'il y ait un écureuil dans les parages, dit-il, ça peut pas être plus dangereux qu'une bagarre d'ivrognes en ville.

— Avec les ivrognes, au moins, on se fait un peu moins chier, répondit Pete d'un ton plaintif.

— Vois un peu plus loin que le bout de ton nez, y a pas mal d'argent à se faire sur ce pont.

— Comment ça ? demanda Pete après un moment de silence.

— Si tu te montres peu conciliant, comme moi, les gens te donneront quelques dollars pour les laisser passer plus vite.

— Des pots-de-vin, vous voulez dire ? »

Randall se tourna vers Pete. « Des dons, je vois plus ça comme des dons pour ma cagnotte de retraite.

— Vous partez quand à la retraite ? demanda Pete.

— Dans cinq ans. Je pars à cinquante-cinq ans. Trente-six ans dans la police, c'est bien assez, je trouve. »

Pete fronça les sourcils. Il était visiblement en train d'essayer de faire le calcul.

Randall hocha la tête et regarda de nouveau par la vitre. Il n'y avait pas grand-chose à voir. Un réverbère solitaire éclairait l'extrémité du pont menant à B Movie Hell.

Quand ils étaient en patrouille de nuit, ils avaient de la chance s'ils voyaient passer une voiture par semaine. C'est ce qui rendait fous les policiers. L'ennui, l'attente, et l'absurdité de la situation. Avec le temps, Randall s'y était habitué. Les seuls moments difficiles, c'était lorsqu'on lui refilait un nouveau coéquipier comme Pete. Les conversations futiles étaient parfois plus abrutissantes que le silence.

« Vous leur faites payer combien, aux gens, pour passer ? demanda Pete.

– Autant qu'ils ont l'air de pouvoir se permettre.

– Vous vous êtes fait combien au max ?

– Cinquante dollars.

– Merde, sérieux ? » Pete semblait impressionné. « J'vous parie que je peux m'en faire cent. »

Randall se tourna de nouveau vers lui et le surprit en train de se gratter le pubis pour la centième fois de la soirée.

« Qu'est-ce que t'en ferais de cet argent ? demanda Randall. Tu achèterais de la crème pour soulager tes démangeaisons ?

– Quelles démangeaisons ?

– T'as passé la nuit à te tripoter. Tu commences à m'inquiéter. »

Pete grimaça et arrêta de se gratter pendant quelques minutes.

« J'ai p'têt bien attrapé un truc au Minou Joyeux la semaine dernière. »

Randall leva un sourcil perplexe. « Tu vas chez Mellencamp ?

– Pas souvent, juste une fois de temps en temps.

– Tu te protèges au moins ?

– De quoi ?

– Tu sais très bien ce que je veux dire. »

Il fallut en réalité plusieurs secondes à Pete pour comprendre ce que Randall voulait dire. « Ah, oui, enfin pas tout le temps. Mais cette gonzesse la semaine dernière, elle avait des plaques rouges sur le visage. Ça doit être elle qui m'a refilé un truc. »

Randall secoua la tête. « Merde, Pete. Tu peux même pas choisir la fille ? »

Les joues de Pete s'empourprèrent légèrement. « Bah si, mais je l'avais jamais choisie avant, j'me suis dit que ce serait pas très poli...

– Je croyais que tu n'y allais pas souvent ?

– Non, mais je crois bien que j'ai essayé chaque fille au moins une fois.

– Y a combien de filles ?

– Une trentaine. Ça fait longtemps qu'ils ont pas embauché de nouvelle. Ils devraient ramener un peu de chair fraîche.

– Faudrait pas que Mellencamp t'entende.

– Il est pas si méchant que ça, vous savez. Il est toujours super sympa quand je le vois.

– Bien sûr qu'il l'est, répondit Randall, moqueur. T'es un de ses clients. Ça veut dire que tu as une dette envers lui.

– Je lui dois rien. Je paie avant. C'est une des règles.

– D'accord. Mais qu'est-ce qui se passera quand tu l'arrêteras pour un feu arrière cassé, hein ?

– Il a un feu arrière cassé ?

– Non. Mais si ça arrive un jour, tu pourras rien faire.

– Pourquoi ?

– Parce qu'il raconterait à toute la ville que tu aimes te faire titiller les couilles avec un plumeau à poussière. »

Pete eut l'air surpris. « Comment vous savez ?

– J'en sais rien. Je ne faisais que spéculer. » Il regarda son jeune coéquipier de plus près. « Tu aimes te faire titiller les couilles avec un plumeau à poussière ?

– Nan.

– Enfin, bref... » Randall voulait éviter de s'attarder sur une vision de son collègue dans une situation compromettante avec un ustensile de ménage. « Ce que je veux dire, c'est que ce genre de truc, ça peut revenir te hanter. Si Mellencamp a de quoi te faire chanter, un jour il viendra te demander une faveur qui ne te plaira pas, et tu te sentiras obligé de dire oui tout en sachant que tu ne devrais pas. »

Pete éclata de rire avant de recommencer à se gratter les parties intimes. « Ouais, pigé. » Soudain, il se redressa comme si on venait de lui taper dans le ventre avec un tisonnier brûlant.

« Faut que j'aille pisser, déclara-t-il.

– Et l'écureuil ?

– Quel écureuil ? »

Randall poussa un profond soupir et tendit la main vers la radio. Il l'alluma et reconnut immédiatement la chanson qui passait. Il monta le son. C'était « The greatest love of all » de Sexual Chocolate. « Tu veux bien changer le nombre d'habitants avant d'y aller ? demanda-t-il.

– Je le ferai en revenant. Je vais exploser.

– OK, mais dépêche-toi avant qu'on ait un autre mort. »

Pete ouvrit sa portière, mais avant de descendre il se tourna vers Randall. « À mon retour, vous pensez qu'on pourra écouter autre chose qu'EMM pour une fois ?

– C'est quoi le problème avec EMM ?

– Eighties Movie Music ? Je vais pas supporter cette merde ringarde beaucoup plus longtemps.

– Mais c'est la station locale. Faut bien soutenir les locaux.

– Vous avez pas envie d'écouter quelque chose de différent, pour changer ?

– Comme quoi ?

– Pourquoi pas un peu de rap ?

– C'est quoi, ça, le rap ? » Randall savait parfaitement ce qu'était le rap, mais il aimait bien faire semblant de ne pas connaître ce genre de choses, juste pour voir à quel point ça énerverait Pete.

« Bon sang, Randall. À mon retour, je vous ferai découvrir du bon rap de gangster. »

Randall monta encore un peu le son de la radio et regarda son jeune acolyte traverser l'étendue d'herbe qui conduisait à une forêt sombre à quelques mètres de là. Bientôt, Pete disparut derrière de grands arbres. Il était évident qu'il n'allait pas simplement pisser. Il avait probablement besoin de se gratter ou d'inspecter la cochonnerie qu'il semblait avoir attrapée au Minou Joyeux. Randall frissonna en y pensant. Il essaya de se rappeler s'il avait eu un quelconque contact physique avec Pete au cours de la nuit. Lorsqu'il fut rassuré, il se fit plaisir en chantant par-dessus « The greatest love of all » et une autre chanson moins mémorable de Wyld Stallyns. Quand cette dernière se termina et laissa place aux publicités, cinq bonnes minutes s'étaient écoulées et toujours aucun signe de Pete. Randall décida alors de le surprendre en trouvant une station qui passait du rap. Il en parcourut plusieurs avant d'y parvenir, mais il ne put en supporter que dix secondes avant de changer à nouveau de station. C'est à ce moment-là qu'il tomba sur Jeffrey Osborne chantant « On the wings of love ».

Il n'avait pas entendu cette chanson depuis plusieurs années mais il se souvint instantanément du plaisir qu'il ressentait lorsqu'il la chantait à pleins poumons, dans sa jeunesse. Convaincu que personne d'autre que Pete ne pourrait l'entendre, il baissa les deux vitres de la voiture, monta le son au maximum et se mit à chanter à tue-tête, en duo avec Jeffrey Osborne pendant le refrain.

Même s'il chantait en y mettant tout son cœur, Randall ne pouvait s'empêcher de garder un œil fixé sur les bois plongés dans l'obscurité. Il s'attendait à voir Pete en sortir à tout moment, curieux de connaître la raison de ce raffut.

Mais le jeune policier ne revenait pas. La forêt était calme comme la mort.

Lorsque la chanson arriva à son couplet final, il décida de faire des appels de phare dans l'espoir d'attirer l'attention de Pete. Après seulement quelques secondes, il vit enfin quelque chose bouger. Une silhouette massive, aux épaules larges, sortit des bois et se dirigea vers la lumière aveuglante qui émanait des phares de la voiture.

Mais ce n'était pas Pete.

C'était un homme beaucoup plus imposant. Pendant qu'il marchait au centre du faisceau lumineux, Randall put l'observer attentivement. Il cessa immédiatement de chanter « On the wings of love ». Son visage se figea au beau milieu du couplet quand il vit ce qu'il avait devant les yeux.

L'homme qui sortait des bois s'arrêta au centre de la lumière, comme pour offrir une meilleure vue sur sa personne à Randall. Il portait un jean noir et une veste en cuir verni rouge par-dessus un débardeur noir. Son visage était terriblement pâle, c'est en tout cas ce qu'il sembla à Randall avant que son cerveau n'analyse ce qu'il voyait. C'est à ce moment-là qu'il comprit qu'il ne regardait pas un visage fait de peau et d'os. Il regardait un masque en caoutchouc. Un masque jaune et sale censé imiter un crâne humain. Il affichait un sourire maléfique et plusieurs de ses dents étaient noircies. Au-dessus du masque se dressait une bande de cheveux rouges qui commençait sur le haut du front, comme la crête d'un Mohican ou d'un Iroquois. Et à travers deux trous dans le masque, une paire de grands yeux noirs fixait Randall.

Deux autres éléments attirèrent l'attention de Randall avant qu'il ne démarre le moteur et ne fasse demi-tour à toute vitesse.

L'homme au masque jaune tenait une longue lame argentée et tranchante dans sa main gauche. Une lame couverte de sang, qui gouttait sur le sol.

Dans son autre main il tenait une tête humaine par une poignée d'épais cheveux bruns. Les yeux de Randall s'écarquillèrent tandis que l'image se gravait à jamais dans son esprit.

C'était la tête de Pete.

2

« **O**n laisse pas Bébé dans un coin. »
Bébé avait entendu Patrick Swayze prononcer
ces mots un millier de fois. Et ils lui donnaient
toujours autant la chair de poule. Ces mots représentaient tellement plus pour elle qu'une simple réplique de *Dirty Dancing*.
En son for intérieur, elle était convaincue qu'un jour un type
comme Johnny Castle, un homme, un vrai, lui ferait tourner la
tête, lui montrerait combien elle compte pour lui, et l'emmène-
rait loin du Minou Joyeux. Elle rêvait qu'il l'enlève et l'entraîne
dans un endroit meilleur, plus agréable. Un lieu comme la
station touristique du film lui conviendrait parfaitement.

Elle avait choisi le surnom de Bébé peu après son arrivée chez
Mellencamp. C'était un surnom plutôt approprié puisqu'elle
avait pendant longtemps été la plus jeune des résidentes. Elle
avait dix-neuf ans aujourd'hui et elle avait dû céder son titre de
benjamine à son amie Chardonnay qui n'en avait que dix-sept.
Mais le surnom était resté, d'autant que la plupart des gens
ne connaissaient pas son vrai nom. Depuis qu'elle portait ce
surnom, regarder *Dirty Dancing* était un moment spécial pour
elle. Elle faisait tout pour essayer de ressembler à Jennifer Grey,
l'actrice du film. Elle avait la même silhouette et ne quittait
jamais son jean blanc. La principale différence entre les deux
jeunes femmes était que Jennifer Grey n'avait pas une tache de
naissance bleue sur la joue gauche. Bébé en avait une, et on la
voyait de loin. Elle se rappelait ce jour où, âgée d'une dizaine
d'années, elle avait gâché deux savons et une demi-journée à

essayer de la faire partir. Mais on ne se débarrasse pas si facilement d'une tache de naissance et, avec les années, elle avait fini par s'y habituer. Clarisse, la tenancière du Minou Joyeux, en parlait comme d'un grain de beauté. Et Bébé avait fini par faire de même. Enfin, avec ou sans sa tache de naissance, elle soupçonnait la plupart des autres filles d'être jalouses d'elle. Tout le monde voulait être Bébé, celle de *Dirty Dancing* bien sûr, pas celle qui était actuellement en train de regarder le DVD. Seule dans sa chambre.

Quelqu'un frappa à la porte. Bébé mit le DVD sur pause pour ne pas que la scène de danse finale soit gâchée par une visite impromptue, ni rater une seconde de « Time of my life » chantée par Bill Medley et Jennifer Warnes. Elle roula sur son lit et se dirigea vers la porte. Avant même qu'elle ne l'ait atteinte, la poignée se baissa et la porte s'ouvrit. Chardonnay passa la tête dans l'entrebâillement.

« Salut, Bébé. Qu'est-ce que tu fais ?

– Rien, je regardais un film. »

Chardonnay avait ses longs cheveux bruns relevés en chignon sur le dessus de sa tête. Elle était naturellement très belle et avait une magnifique peau couleur olive. Elle entra et ferma doucement la porte derrière elle.

« T'as regardé les infos ? demanda-t-elle.

– Non. Pourquoi ? »

Chardonnay était une des rares à aimer son boulot au Minou Joyeux. Contrairement à Bébé, elle n'aspirait en aucun cas à en partir un jour. Elle adorait ce travail autant que vivre à B Movie Hell. Elle attrapa la télécommande sur le lit de Bébé et la pointa vers le téléviseur. Elle était sur le point d'appuyer sur une touche quand elle remarqua Patrick Swayze sur l'écran.

« T'es encore en train de regarder *Dirty Dancing* ?

– Y avait rien d'autre à la télé », mentit Bébé.

Chardonnay lui sourit, sauta sur le matelas et s'assit contre la tête de lit. D'un bond, Bébé la rejoignit et se blottit contre elle.

Elles étaient toutes les deux en pyjama. Bébé compara le sien, en flanelle et à l'effigie de Titi, à celui en soie de Chardonnay, aux motifs léopard. Chardonnay était tellement plus adulte qu'elle, tellement plus sophistiquée.

« Tu devrais essayer de regarder *Coyote Girls* un jour. C'est vraiment génial, dit Chardonnay.

– Ça peut pas être aussi bien que *Dirty Dancing*, personne n'arrive à la cheville de Johnny. »

Chardonnay secoua la tête et répondit avec un grand sourire.

« Mais Patrick Swayze est mort. Adam Garcia de *Coyote Girls* est bien vivant, lui. Et il est toujours aussi sexy.

– Eh bien, je te le laisse. Moi, je garde Johnny.

– OK, dit Chardonnay en appuyant sur les touches de la télé-commande. Mais si Adam Garcia débarque ici un jour, je m'en souviendrai. »

Bébé était un peu agacée par Chardonnay, qui n'arrêtait pas de zapper. Le DVD de *Dirty Dancing* était sur pause, elle ne rate-rait donc rien, mais quand bien même, elle n'avait pas donné la permission à sa collègue de zapper.

« Qu'est-ce que tu cherches ? demanda-t-elle.

– Les infos. Ah voilà, regarde ! »

Bébé regarda l'écran. Elle n'avait pu s'offrir qu'un petit télévi-seur portable mais, même sur l'écran minuscule, elle reconnut le visage affiché derrière le présentateur.

« C'est Pete Neville ?

– Ouais, répondit Chardonnay, il a été assassiné. »

Bébé mit la main devant sa bouche.

« Mon Dieu, qu'est-ce qui s'est passé ? C'était un type bien, Pete.

– Ils ne disent pas grand-chose pour le moment, mais Sophie a entendu dire qu'un psychopathe avec un masque lui avait coupé la tête.

– Quoi ?

– Je t'assure. Ils parlent pas encore de la décapitation aux infos mais ils ont dit que l'assassin portait un masque.

– Ils l'ont attrapé ?

– Non, dit Chardonnay en feignant une expression de terreur. Mais imagine s'il vient ici. Qui sait qui sera le prochain à avoir la tête coupée ?

– Plaisante pas avec ce genre de choses ! s'indigna Bébé en la bousculant gentiment.

– C'est quand même excitant, non ? Je crois pas qu'on n'ait déjà eu un serial killer à B Movie Hell.

– Et j'aurais préféré que ça reste comme ça. J'arriverai jamais à dormir après ce que tu m'as dit.

– Docteur Bob a eu une bonne idée.

– Comment ça ?

– Il a quitté la ville ce matin. Il est en vacances aux îles Fidji pour deux semaines.

– Sérieux ? Qui c'est qui donne les médocs maintenant ?

– Clarisse, j'imagine. »

Bébé était ravie d'apprendre que le docteur Bob était parti, mais elle n'en montra rien à Chardonnay.

« C'est flippant, non ? Y a un serial killer en liberté et notre médecin est parti aux Fidji.

– C'est pas comme si ça allait changer grand-chose, répondit Chardonnay en rigolant. Si on te coupe la tête, le docteur Bob ne pourra pas la recoudre.

– Arrête, c'est horrible ! Tu devrais pas plaisanter avec ça.

– Personne n'écoute.

– Peut-être, mais plaisanter avec ça, c'est provoquer le destin. »

Chardonnay éclata de rire.

« C'est trop facile de te faire peur. Tu veux que je reste avec toi ce soir ? »

Quelque chose dans la façon dont Chardonnay avait prononcé ces mots laissait penser qu'elle voulait rester avec Bébé. À vrai dire, le fait qu'elle était déjà en pyjama et tirait la couette vers elle suggérait même une forte envie de rester. Ça ne dérangeait pas Bébé. Elle comprenait que personne n'ait envie de rester seul en sachant qu'un tueur masqué sévissait dans la ville. En réalité, plus Bébé y pensait, plus elle était soulagée d'avoir de la compagnie.

« D'accord, dit-elle, mais il va falloir que tu regardes la fin de *Dirty Dancing* avec moi.

– Pas de problème, mais après on regarde *Coyote Girls*. Il faut absolument que tu voies ce film.

– Ça parle de quoi ?

– Ça va te plaire. Ça parle d'une fille qui s'enfuie de chez elle pour commencer une nouvelle vie à New York. Elle trouve un boulot dans un bar et tombe amoureuse d'un type vraiment craquant.

– J'adorerais aller à New York.

– Ben ce soir, Bébé, on y va avec Adam Garcia », dit Chardonnay en bondissant hors du lit pour aller chercher son DVD de *Coyote Girls*. En ouvrant la porte, elle ajouta :

« Sauf si le tueur masqué nous attrape avant ! »

Bébé sourit poliment. Cette histoire de tueur masqué ne l'inquiétait pas plus que ça. Ce qui l'intéressait, en revanche, c'était que le docteur Bob, le médecin résident du Minou Joyeux, avait quitté la ville.

3

Le téléphone semblait sonner depuis des heures et sa sonnerie s'était lentement insinuée dans le rêve de Jack Munson. La première chose qu'il vit en ouvrant les yeux fut la bouteille de rhum vide sur sa table de nuit. Son téléphone portable se trouvait à côté et sa vieille sonnerie ringarde faisait un vacarme terrible. Il tendit la main pour l'attraper, souleva sa tête de l'oreiller et sentit immédiatement les effets de l'alcool ingurgité la veille.

« Ouais ? marmonna-t-il en clignant des yeux pour essayer de sortir de sa torpeur.

– Salut, Jack. Je t'en prie, dis-moi que tu n'as pas la gueule de bois.

– J'ai pas la gueule de bois.

– Bien, parce qu'il faut que tu viennes au bureau. J'ai quelque chose pour toi. C'est important. »

Jack se frotta les yeux et tenta d'estimer la quantité de sommeil supplémentaire qu'il pouvait négocier.

« D'accord, donne-moi deux heures. »

La voix à l'autre bout du fil hésita quelques secondes avant de répondre sur un ton qui trahissait un sentiment d'urgence.

« Jack, j'ai besoin de toi tout de suite.

– D'accord, donne-moi juste une heure.

– Je te donne trente minutes. Rappelle-moi à ce numéro quand tu arrives. »

L'homme raccrocha et Jack reposa sa tête sur l'oreiller.

« Merde », grommela-t-il dans sa barbe.

Il ferma les yeux et tenta de gagner trente secondes de sommeil supplémentaires, tout en sachant que même s'il y parvenait, ce n'était pas vraiment une bonne idée. La voix à l'autre bout du fil était celle de son ancien chef, Devon Pincent. Ça faisait plus d'un an qu'ils ne s'étaient pas parlé, et Munson n'avait pas travaillé depuis près de trois ans. Si Pincent avait un boulot pour lui aujourd'hui, ça voulait dire qu'il s'agissait de quelque chose d'extrêmement important.

Quelque chose de sérieux.

Il se redressa d'un coup et fut pris d'un léger vertige, jusqu'à ce que ses anciennes habitudes reprennent le dessus. Il roula hors du lit et tituba jusqu'à la salle de bains. Il fallait au moins qu'il prenne une douche et se brosse les dents. Ce qui lui laissait vingt-cinq minutes pour s'habiller, sauter dans la voiture et foncer au QG pour voir Pincent.

Il ouvrit le robinet d'eau chaude jusqu'à une température à la limite du supportable et se savonna bien fort pour essayer de se réveiller. Une technique qui s'avéra efficace puisqu'il sortit peu à peu de sa torpeur. Il n'avait pas eu à faire ça depuis bien longtemps. Ces derniers temps, lorsqu'il se réveillait avec la gueule de bois, il faisait tout au ralenti, sans se presser. Mais ses années d'entraînement dans les forces spéciales lui revinrent rapidement en mémoire. Lorsqu'il fallait qu'il soit vif et alerte, son corps et son esprit savaient se montrer incroyablement performants, même dans les situations les plus extrêmes. Et une gueule de bois ne pouvait pas vraiment être considérée comme une situation extrême. Son esprit commença à se concentrer sur toutes les choses qu'il allait devoir emporter avec lui. Son arme, son passeport, ses faux papiers d'identité, et son laissez-passer pour entrer dans le bâtiment, s'il n'avait pas été révoqué. On lui avait assuré que ce ne serait pas fait sans qu'il en soit informé au préalable.

Tout en se brossant les dents, il se mit à réfléchir aux raisons pour lesquelles Pincent pouvait faire appel à lui. Trois ans plus tôt, l'unité lui avait fait savoir qu'elle n'avait plus besoin de ses services. C'était un dinosaure, d'après eux, qui vivait dans le passé. Ses méthodes n'étaient plus appropriées. Et il y avait la boisson. C'était devenu un problème. Avec les années, il avait été de plus en plus difficile pour lui de faire face à toutes les choses qu'il avait vues et faites dans sa jeunesse. Toutes les choses qu'il avait faites pour son pays et pour le bien de tous. Une chose en particulier l'avait hanté pendant très longtemps. Il avait commis une erreur irréparable, une erreur qui repassait en boucle dans son esprit comme un disque rayé. Seul l'alcool parvenait à atténuer la douleur et à l'aider à oublier, même si ce n'était que pour quelques heures.

Quand l'agence l'avait forcé à prendre des congés jusqu'à nouvel ordre, ils avaient clairement mentionné son problème avec l'alcool et son attitude. Munson savait que son jugement ne valait plus grand-chose, l'alcool s'en était assuré, et pour être honnête, il savait que son attitude ne valait pas beaucoup mieux. Mais ce n'était pas tout. Les temps avaient changé. La technologie avait changé. Plus besoin de muscles, pas ceux de son genre en tout cas. Le travail d'investigation moderne devait être fait par des gens à l'esprit technique. Des gens plus jeunes. Des gens honnêtes qui ne camouflaient pas leurs erreurs. Ni ne buvaient pour les oublier.

Il fouilla dans son armoire parmi ses anciens vêtements de fonction et en sortit un pantalon gris et une chemise noire. Aucun des deux ne lui allait aussi bien qu'avant. Il avait un peu pris au niveau de la taille et de la poitrine. Le muscle solide avait laissé place à ce qu'il appelait « du muscle un peu plus mou ». Lorsqu'il faisait preuve de plus de discernement, il se disait que les autres appelleraient simplement ça de la graisse. Ne parvenant pas à fermer le premier bouton de sa chemise, il décida de le laisser défait et de ne pas porter de cravate. Il enfila une ample veste en daim et se regarda rapidement dans le miroir. Il n'était plus qu'une pâle copie de ce qu'il avait été. Il ne ressemblait à rien.

Lorsqu'il était plus jeune, Munson avait presque toujours été en couple. Et ce qui lui manquait le plus maintenant qu'il était vieux et célibataire, c'était une femme pour lui préparer son petit déjeuner. Aujourd'hui, tout ce qu'il avait pour lui tenir compagnie, c'était sa bouteille de rhum, et il avait connu de meilleures cuisinières. Quant à la bouteille qu'il s'était enfilée la veille, elle ne le mettait pas vraiment d'humeur à se préparer lui-même son petit déjeuner.

Il glissa sa montre autour de son poignet et se rendit compte qu'il n'avait même pas le temps de se faire un café. À la place, il but une gorgée de la bouteille qui se trouvait sur sa table de nuit. C'était peut-être bien la dernière occasion qu'il aurait de boire de la journée, alors c'était maintenant ou jamais. Bordel, ça faisait du bien ce truc-là, de bon matin. Il était sur le point de la reposer quand il commença à se demander s'il aurait l'occasion d'en acheter une autre plus tard. Probablement pas. Il vissa le bouchon et glissa la bouteille dans la poche intérieure de sa veste en daim.

Mieux vaut prévenir que guérir.

En rejoignant le parking situé sous son immeuble, il essayait toujours de comprendre les raisons de cet appel inopiné. Il n'avait pas réussi à se débarrasser de la sensation qu'une couche de coton autour de son cerveau l'empêchait de relier tous les éléments entre eux. Et le rhum n'arrangeait pas vraiment les choses.

Il alluma le moteur de sa Lotus Esprit noire et s'engagea dans la rue derrière son immeuble. C'était peut-être l'effet du soleil, mais son cerveau se mit soudain en marche. Il repensa aux mots que Pincent avait prononcés. « *J'ai* besoin de toi. » Pas *nous*, pas *l'unité*, pas *ton pays*. Rien de tout ça.

J'ai besoin de toi.

Cela pouvait signifier que ce n'était pas une mission officielle, que c'était un travail pour un outsider, quelqu'un de confiance. On avait peut-être besoin de lui pour dénicher une taupe dans le département ? Ou peut-être s'agissait-il de quelque chose que lui et Pincent avaient fait plusieurs années auparavant et qui revenait les hanter ? Il pria pour que ce ne soit pas le cas.

Ils avaient mené à bien plus d'une centaine de missions clandestines à l'époque, au bon vieux temps. Mais aujourd'hui, plus rien ne pouvait rester caché bien longtemps, il était donc fort probable qu'ils finissent en prison pour n'importe laquelle de ces missions. Pincent en avait supervisé et autorisé la plupart. Jack avait été son bras droit secret. À l'époque, on le surnommait « le Fantôme » car personne ne l'avait jamais vu en vrai. Jack Munson était le plus secret de tous les agents.

À l'époque.

4

L a traversée de la ville pour se rendre au QG s'était déroulée dans un flou de klaxons et de panneaux stop, que Munson avait tous ignorés. Ça faisait partie de ces choses étranges qui arrivaient lorsqu'il buvait du rhum au petit déjeuner. Le rhum faisait ressortir sa capacité innée à conduire sans avoir à se concentrer ou à faire attention à ce qui l'entourait. Et il arrivait toujours à bon port, souvent même avec quelques minutes d'avance. Ce jour-là il était en fait arrivé à destination avec à peu près vingt minutes de retard, mais il imputa la chose au timing ridicule que lui avait imposé Pincent.

Un agent de sécurité l'attendait devant le bâtiment et lui fit traverser la réception jusqu'aux ascenseurs. Les lieux n'avaient pas beaucoup changé.

Quand les portes s'ouvrirent au huitième étage, la première chose que Munson vit fut le visage de Pincent. Son ancien collègue l'attendait planté devant l'ascenseur. Il avait l'air épuisé, les traits marqués par le stress de son boulot. Et son crâne s'était dégarni de deux ou trois centimètres de plus. Il avait toujours une épaisseur décente de cheveux gris sur la tête, mais son front remontait aujourd'hui beaucoup plus haut.

« Tu mets plus de temps à te laver le visage le matin ? demanda Munson, encouragé par le rhum.

– Pardon ?

– Tu commences à te dégarnir.

– Tu as bu ?

– Non, répondit Munson sur la défensive. Mais j'ai pas eu le temps de prendre mon petit déjeuner. J'ai bu quelques verres hier soir et j'ai l'estomac un peu détraqué. Ça devrait aller mieux quand j'aurai mangé. Tu crois que quelqu'un pourrait me préparer vite fait un sandwich au bacon ? »

Pincent n'esquissa même pas un sourire. Il semblait avoir perdu son sens de l'humour. Et ce n'était pas la seule chose qui avait changé chez lui. Il était bien mieux habillé qu'il ne l'avait jamais été. Il portait un costume gris anthracite très chic avec une élégante chemise blanche et une cravate bleu foncé. Une chose n'avait pas changé cependant. Son expression ne laissait rien paraître. C'était une de ses caractéristiques les plus frappantes. Son visage impassible.

« Suis-moi », dit Pincent. Sans attendre de réponse il tourna les talons. Munson le suivit dans un long couloir au bout duquel se trouvait une salle de réunion. Pincent lui fit signe d'entrer.

« Assieds-toi », dit-il en fermant la porte derrière Munson.

La pièce était constituée d'une longue table en marbre bordée de fauteuils en cuir noir. Sur l'un des sièges au bout de la table était assise une jeune femme très élégante dont le teint hâlé suggérait des origines latines.

« Salut, dit Munson, je devine rien qu'à vous regarder que vous venez soit de Jacksonville, soit de Baltimore. J'ai l'œil pour ce genre de choses. J'ai appris ça sur le terrain. Alors ? Baltimore, c'est ça ?

– Presque, répondit la femme. Je viens de Vérone.

– Je vous rassure, interrompit Pincent, il ne fait que s'échauffer. Jack est toujours un peu à l'ouest quand il n'a pas mangé. » Il poussa Munson vers elle. « Jack, je te présente Milena Fonseca. »

Milena, à qui Munson donnait une trentaine d'années, était vêtue d'un tailleur noir moulant et d'une chemise noire. Ses cheveux, noirs également, étaient tirés en arrière en une queue-de-cheval. Munson la soupçonna d'être un agent de terrain qui se rêvait cambrioleuse. Elle avait les traits ciselés, les pommettes hautes et de grands yeux marron. Il l'apprécia tout de suite, uniquement grâce à ses yeux. Munson avait un faible pour les yeux marron.

Milena ne bougea pas de son siège.

« Enchantée, Jack », dit-elle en tendant la main. Il prit sa main et la serra fermement mais brièvement tout en s'asseyant. Pincent tira la chaise à sa droite et prit place à côté de Munson.

« Milena a toutes les informations, elle te donnera les détails en partant.

– En partant où ?

– Vous allez tous les deux dans un endroit appelé B Movie Hell. Mais avant cela, vous allez faire un détour par un hôpital psychiatrique.

– B Movie quoi ?

– Hell. »

Munson fronça les sourcils. Pendant un instant, il se dit qu'il avait peut-être abusé du rhum. Mais non, il avait bien entendu. B Movie Hell.

« Qu'est-ce que c'est que ça ? demanda-t-il.

– Une ville de bouseux perdue au milieu de nulle part. Elle s'appelait Sherwood County avant.

– C'était très bien comme nom.

– Certes. Mais il y a une vingtaine d'années, un riche bienfaiteur du nom de Silvio Mellencamp s'y est installé. Il travaillait dans le cinéma. Quand il a emménagé à Sherwood, il a décidé de renommer la ville B Movie Hell.

– Je savais pas qu'on pouvait renommer une ville en s'y installant. J'ai raté quelque chose ?

– Non, Jack. Mais Silvio Mellencamp a fait fortune en produisant des films dans les années 1980 et au début des années 1990. Quand il s'est installé à Sherwood County il a investi une grande partie de cet argent dans le commerce local. Il a fait de la ville un lieu de pèlerinage dédié à ses films préférés. Je n'y suis jamais allé mais il paraît que toute la ville est un hommage aux clichés du cinéma des années 1980. Ils ont la tour de *Piège de cristal*, une statue de Rocky Balboa, le restaurant McDowell d'*Un prince à New York*, et toutes sortes de conneries du même style.

– Je comprends rien à ce que tu racontes.

– C'est rien, ce n'est pas important. »

Munson remua sur sa chaise, un peu mal à l'aise. Même s'il avait essayé de garder la ligne et de se maintenir en forme ces dernières années, il avait l'impression d'être encore plus à l'étroit dans ses vêtements que lorsqu'il les avait enfilés à la hâte une heure plus tôt. Il détourna sa chaise de Fonseca un instant pour ajuster son pantalon. Il valait mieux ne pas attirer l'attention sur ses problèmes d'entrejambe.

« Il faisait quel genre de films, ce type ? demanda Munson. Je connais peut-être.

– Du porno, répondit Pincent. C'était l'un des plus grands producteurs et distributeurs de films pornographiques à l'époque des VHS. Quand le DVD est arrivé, il a été l'un des seuls à comprendre que ses jours étaient comptés. Il a tout vendu et arrêté le cinéma. Et comme je disais, il s'est installé à Sherwood County, a investi beaucoup d'argent dans le commerce local et, en retour, les villageois l'ont laissé remodeler la ville, y compris son nom.

– Les villageois ? J'aime bien ce mot, dit Munson. On l'utilise trop peu de nos jours, je trouve. J'imagine des barbus avec une fourche à la main.

– Tu n'es pas loin, dit Pincent.

– Et donc, pourquoi as-tu besoin de moi ? » demanda finalement Munson, qui ne comprenait toujours pas pourquoi ils étaient en train de discuter de sujets aussi triviaux.

Pincent inspira profondément.

« On a un gros problème, Jack. Enfin, *j'ai* un gros problème et j'ai besoin de toi pour le régler. »

Ils furent interrompus par un coup frappé à la porte.

« Entrez ! » cria Milena Fonseca.

La porte s'ouvrit et une vieille dame aux cheveux gris vêtue d'une tunique bleue entra accompagnée d'un chariot chauffant. Pendant les deux minutes qu'il lui fallut pour déposer le café et les pâtisseries sur la table, personne ne prononça un mot. Quand elle eut enfin fini, Pincent la remercia et elle quitta la pièce.

Dès que la porte fut fermée, Munson s'empara d'une tasse et d'une soucoupe et commença à se verser du café. Fonseca se servit un jus d'orange et Pincent en profita pour reprendre la parole.

« Tu as déjà entendu parler de l'opération Blackwash ? »

Munson but une gorgée de café noir. Il avait un goût assez extraordinaire. Il n'avait pas bu un bon café depuis fort long-temps. Il répondit succinctement à Pincent de façon à pouvoir en boire une autre gorgée.

« Non. Jamais entendu parler.

– Bon, ça me rassure. Enfin, un peu, dit Pincent. Ça veut dire qu'il va falloir que je t'explique de quoi il s'agit. »

Munson but une deuxième gorgée de café avant de féliciter Pincent.

« Excellent café.

– Je sais. »

Il avala une autre gorgée et demanda :

« Je suis censé avoir entendu parler de cette opération ?

– Certainement pas.

– Mais tu pensais que j'aurais pu ? » La caféine commençait à faire effet. Munson sentait que son esprit était de plus en plus affûté.

« Tu es quelqu'un de bien informé, continua Pincent. Mais il s'agit d'un projet top secret qui date d'il y a plusieurs années. Toutes les personnes impliquées devaient automatiquement nier en avoir connaissance, même pendant un interrogatoire poussé. On avait embauché des gens compétents. Les meilleurs.

– Je n'en avais jamais entendu parler avant aujourd'hui, ajouta Milena.

– Moi non plus, répondit Munson. Faut-il en déduire que l'opération Blackwash a, comment dire, merdé ?

– Tu n'imagines pas à quel point, Jack. J'ai besoin de toi pour faire le ménage. Et vite.

– Dis-moi ce que je dois savoir et je m'y mets. »

Pincent se fendit d'un de ses petits sourires forcés.

« Bien. Je vais aller droit au but alors. L'opération Blackwash est née de l'imagination d'un abruti entêté qui bossait dans le département il y a quelques années. Un trou du cul qui regardait beaucoup trop de films d'espionnage et qui s'est dit qu'on pourrait créer un corps d'élite d'espions et d'assassins ultra-entraînés, des sortes de robots. L'idée était de les recruter jeunes, très jeunes, j'entends. Certains étaient des nouveau-nés, et le plus vieux devait avoir cinq ans. Bref, on a pensé que si on commençait à les entraîner à cet âge-là, on pourrait créer une équipe de soldats proche de la perfection. »

Munson but une autre gorgée de café et posa la tasse sur la table. Il tendit la main vers le plateau de pâtisseries et attrapa un croissant qui lui faisait de l'œil.

« Je crois savoir où ça a merdé, dit-il en mordant dans son croissant. Vous vous êtes retrouvés avec une équipe de Danny DeVito alors que vous espériez des Arnold Schwarzenegger, c'est ça ?

– Ça n'a peut-être pas merdé à ce point, mais tu n'es pas loin.

– Et le clown qui a eu cette brillante idée ? »

Pincent haussa les épaules avec embarras.

« Comme je viens de dire, c'était un abruti entêté.

– Tu as aussi dit un trou du cul.

– Ouais, c'est vrai, mais c'était l'époque où j'essayais de me faire un nom en me montrant progressiste et innovateur. Le problème, c'est que je pensais qu'être différent faisait de moi quelqu'un d'intelligent. Tu sais comment j'étais. On finit toujours par apprendre de ses erreurs.

– Et le projet alors ?

– Il a été dissous il y a plusieurs années.

– Au bout de combien de temps ?

– Douze ans.

– Douze ans ? » Munson avait du mal à y croire. « Il t'a fallu douze ans pour comprendre que c'était une idée pourrie ?

– C'est ce qui arrive quand c'est ta propre idée, Jack.

– Et qu'est-ce qui y a mis fin ? »

Milena l'interrompit avec impatience.

« Un des cobayes s'est suicidé. »

Jack la regarda. Elle avait utilisé un ton particulièrement grave. Il se tourna vers Pincent.

« Un seul ? Il a fallu douze ans pour que l'un deux se foute en l'air ? Je suis impressionné. Il y avait combien de cobayes ?

– Cinq.

– Cinq ? Dès le début ?

– Ouais.

– Je crois que j'ai pigé. Un des sujets normaux s'est suicidé, donc le projet a avorté, mais, parmi les cinq, vous en avez un qui s'est pris au jeu, c'est ça ? »

Pincent hocha la tête et détourna le regard.

« Désolé, dit Munson en levant la main en signe d'excuse. C'est la caféine qui fait effet. Continue. Je voulais pas mettre la charrue avant les bœufs. »

Tout au long de la conversation, Milena Fonseca avait étudié avec attention chacun des mouvements de Munson. Il avait le sentiment qu'elle était en train de le jauger. Elle ne savait de lui que ce que Pincent lui avait dit et elle semblait essayer de deviner quel type d'agent il était. Il se demanda si elle avait déjà pigé qu'il était ivre, entre autres. Il la regarda brièvement et sourit. Elle soutint son regard mais ne lui rendit pas son sourire. Pas de doute, elle l'avait démasqué. Elle pouvait sans doute sentir le rhum dans son haleine. Tant mieux, songea-t-il. Tant qu'elle se concentre là-dessus, elle ne verra pas le reste.

Munson avala son dernier morceau de croissant, fit un clin d'œil à Fonseca et se tourna de nouveau vers Pincent, qui finissait de se servir une tasse de café.

« Il y a eu, comment dire, des expériences un peu douteuses qui ont été pratiquées sur eux... Les autorités ne laisseraient jamais passer ce genre de choses de nos jours, avec toutes ces lois sur les droits de l'homme et tout le reste.

– Et le fait que c'étaient des enfants.

– Ouais. »

Munson esquissa un sourire.

« Alors, quel genre d'expériences douteuses ?

– Eh bien déjà il y avait l'entraînement militaire, mais soyons honnêtes, ce n'est rien d'insurmontable, tant que la recrue a commencé assez jeune. Mais on a aussi testé des drogues sur eux, des drogues permettant d'augmenter les capacités mentales. »

Tout en avalant sa dernière gorgée de café et en réfléchissant au temps qu'il devait attendre avant de s'en servir un autre, Munson se rendit compte que Fonseca et Pincent avaient tous deux les yeux fixés sur lui. C'était de toute évidence le moment le plus important de l'histoire.

« Et qu'est-ce qu'elles faisaient, ces drogues ?

– Certaines servaient à améliorer la perception, reprit Pincent, développer les sens, ce genre de choses, et d'autres étaient utilisées dans le but d'aider le sujet à obéir aux ordres.

– Des drogues de contrôle mental ?

– Ouais. »

Munson n'en pouvait plus. Il s'empara de la cafetière et se servit une autre tasse.

« Tu sais quoi ? demanda-t-il. Je crois que j'en sais assez sur l'opération Blackwash pour deviner la suite. » Il renifla sa deuxième tasse de café. Elle ne sentait pas aussi bon que la première, ce qui prouvait qu'il était parfaitement réveillé. «Je suppose que la grande question est, si l'un deux s'est suicidé et que vous avez abandonné le projet, qu'est-il arrivé aux quatre autres ?

– Tu n'as pas une petite idée ?

– Je dirais que trois d'entre eux sont morts et enterrés mais que vous avez utilisé ton petit protégé à d'autres fins ?

– Presque.

– Alors dis-moi. Parce que je crève d'envie de connaître la suite.»

Pincent but une gorgée de café.

«J'aurais dû faire le ménage à l'époque. Au lieu de ça, j'ai laissé mes émotions s'en mêler et maintenant je suis dans la merde. C'est pour ça que j'ai besoin de toi. C'est pour ça que tu fais toujours partie de l'agence.

– Je pensais que c'était parce que tu m'aimais bien.

– Non. C'était en prévision de la situation actuelle. C'est encore moins officiel que tes missions habituelles.

– On te fait chanter ?

– Non.» Pincent attrapa le plus gros croissant du plateau en argent et l'enfourna avant de continuer à parler la bouche pleine, presque comme s'il ne voulait pas que les mots en sortent. Mais Munson les entendit et les comprit parfaitement.

«Tu y étais presque. Trois d'entre eux sont morts. Mais le quatrième ne travaille pas ici, ni nulle part ailleurs.» Il marqua une courte pause afin de ménager son effet. «Le quatrième est parti.

– Parti ? Comment ça, parti ?

– Ce n'est pas important.

– Si, ça l'est.»

Pincent engloutit bruyamment un morceau de son croissant.

«Je l'ai laissé partir.

– Pourquoi ?

– Parce que je l'aimais bien.

– Bonne réponse.

– Merci.

– Donc tu l'as laissé partir parce que tu l'aimais bien et aujourd'hui il refait surface ?

– En réalité ça fait plusieurs années qu'il a refait surface. Il a été arrêté pour le meurtre d'une nonne dans un petit village. »

Munson fit mine d'être choqué.

« Et ? Il vient d'être relâché et il va venir à ta poursuite parce que, cette fois, c'est personnel ?

– Très amusant. Mais j'ai bien peur que ce soit beaucoup plus grave.

– C'est après moi qu'il en a ?

– Arrête un peu de faire le malin. Plus de café pour lui, Milena. Ça le rend hargneux.

– C'est ce que je vois, répondit Fonseca en plaçant la cafetière hors de portée de Munson.

– Écoute, continua Pincent, après avoir assassiné la nonne, il aurait dû être condamné à mort, ou au moins à la prison à vie.

– Mais ?

– Mais j'ai fait jouer mes relations pour qu'il s'en tire en plaidant la folie. Il a été envoyé en hôpital psychiatrique.

– Pourquoi as-tu fait une chose pareille ?

– Je t'ai dit. Je l'aimais bien.

– C'était plus que ça apparemment. Il était mignon ?

– La ferme. » Pincent semblait commencer à perdre patience. «C'était un bon gamin. Enfin, à l'époque. Il était orphelin. Ils l'étaient tous. Mais je l'aimais bien. C'était le meilleur d'entre eux. C'était inné chez lui. Tuer était un jeu d'enfant pour lui, pas parce qu'il était méchant, mais parce qu'on l'a eu très jeune et qu'on lui a montré qu'il n'y avait pas de mal à tuer. »

Munson soupira et observa Milena Fonseca pour tenter de savoir ce qu'elle pensait de la situation. Son visage ne laissait rien paraître, alors il se tourna vers Pincent.

« Et il s'est échappé de l'asile ? »

Pincent hocha la tête et fit tourner le reste de son croissant tout autour de l'assiette.

« Bien vu. Il est en cavale depuis près de trente-six heures. »

Munson hocha la tête, montrant qu'il avait compris le problème de Pincent.

« Tu veux qu'on le trouve, ou qu'on ne le trouve pas ?

– Je veux qu'il n'ait jamais existé.

– D'accord. Il a fait beaucoup de dégâts pour l'instant ? »

Milena Fonseca sembla soudain se réveiller et l'interrompit.

« Tôt ce matin un policier de B Movie Hell a été décapité par un psychopathe qui portait un masque jaune orné d'une crête rouge. »

Les sourcils de Munson se soulevèrent.

« Et c'est notre homme ?

– Ça ne peut être que lui.

– Mais s'il porte un masque, comment peut-on en être sûrs à 100 % ?

– On ne peut pas, répondit Fonseca. Mais même si par un hasard improbable ce n'est pas lui, personne ne nous en voudra de l'avoir attrapé, si ?

– J'imagine que non. »

Munson lorgnait une viennoiserie fourrée à la confiture mais fut interrompu par Milena Fonseca qui claqua des doigts pour attirer son attention.

« Alors voilà, dit-elle, le masque jaune, c'est en réalité une bénédiction. Une vraie aubaine pour nous. Pour l'instant, nous sommes les seuls à savoir qui se cache derrière ce masque.

– Mais ça ne devrait pas être trop difficile de savoir, répondit Munson.

– C'est vrai, répliqua Pincent, mais je nous ai laissé une longueur d'avance. J'ai donné l'ordre à l'hôpital de ne pas signaler l'évasion de notre homme.

– Notre homme ? On ne connaît même pas le nom de *notre* homme, fit remarquer Munson.

– Son nom est Joey Conrad.

– Joey Conrad ? Hmm... combien de gens dans le département sont au courant ?

– Très peu. » Pincent se leva et ajusta sa cravate comme s'il se regardait dans un miroir imaginaire.

« Jack, aujourd'hui tu es la seule personne capable de nettoyer un tel bordel. Milena t'accompagnera et supervisera l'opération.

– Pourquoi ? Qu'est-ce qu'elle a à apporter ? »

Milena s'éclaircit la gorge.

« Je suis l'officier en charge ici.

– Vraiment ?

– Oui. Devon a eu quelques problèmes récemment et on m'a demandé de superviser cette opération. Je vous accompagne pour m'assurer que tout se déroule sans problème. »

Munson n'aimait pas du tout ça.

« Devon. Ça ne va pas marcher. »

Devon secoua la tête d'un air confus.

« On obéit tous à quelqu'un, Jack. Milena est loin d'être une idiote. Ne la sous-estime pas.

– Bien. Et qu'est-ce que j'ai à y gagner ?

– Après cette mission, tu pourras prendre ta retraite tranquillement. Avec une pension assez conséquente. »

Munson fit mine de réfléchir à la proposition pendant quelques secondes, même si sa décision était déjà prise. Ce dont il avait vraiment besoin, ce n'était pas d'argent, mais d'une bonne dose d'action.

« D'accord. J'en suis.

– Bien, dit Pincent. Vous allez tous les deux vous faire passer pour des agents du FBI. Milena s'est occupée des papiers d'identité et la police de B Movie Hell vous attend. Si tu as besoin de quoi que ce soit d'autre une fois là-bas, Milena s'en chargera.

Elle restera hors de toute situation dangereuse. Mais s'il t'arrive quelque chose, elle reviendra me voir immédiatement.»

Munson sourit.

«S'il m'arrive quelque chose?

– Jack, tu es mon meilleur agent disponible, mais ne te fais pas d'illusions, Joey Conrad est une machine à tuer. Si tu le trouves, il y a de grandes chances pour que tu n'en sortes pas vivant.»

Munson n'avait pas vraiment besoin d'entendre la dernière partie. Il connaissait Joey Conrad aussi bien que Pincent. Et comme Pincent l'avait dit, tous ceux qui avaient travaillé sur l'opération Blackwash n'étaient en aucun cas autorisés à l'admettre. Munson n'échappait pas à la règle.

5

L'hôtesse du Salon Coquin, une zone privée située au sous-sol du Minou Joyeux, écrasa sa sixième cigarette de la matinée. Clarisse, qui était un des piliers de l'établissement, avait l'esprit un peu ailleurs ce matin-là et elle grimaça lorsqu'elle vit les cendres déborder du cendrier sur son bureau. Son chef, Silvio Mellencamp, n'aimait pas beaucoup voir un cendrier déborder sur le bureau de son hôtesse. Cela donnait l'impression que l'hygiène laissait à désirer, affirmait-il. Et l'hygiène, c'était l'une des valeurs clefs du Minou Joyeux.

Mais depuis le début de la matinée, tout était en attente. Un assassin que les policiers locaux avaient surnommé « l'Iroquois » avait mis le village en émoi. Tout le monde était scotché au journal télévisé, dans l'espoir d'en apprendre plus sur le meurtrier. Et Clarisse ne faisait pas exception. Son attention était partagée entre la logorrhée du journaliste sur la petite télévision fixée au mur du Salon Coquin et les vibrations de son téléphone portable chaque fois que ses amis lui envoyaient les dernières nouvelles par SMS. Les gens semblaient ne pouvoir penser à rien d'autre qu'à l'Iroquois. Dans une ville où rien ne se passait jamais, c'était un sacré événement.

Personne ne savait qui était le tueur masqué ni d'où il venait. Ni pourquoi il avait tué Pete Neville. Le jeune Neville était un visiteur régulier de la maison close et il s'était toujours montré charmant. Il n'était pas particulièrement talentueux au lit mais il avait toujours traité les filles avec respect, ce qu'on ne pouvait pas dire de la plupart des autres clients. Il ne semblait pas y avoir de mobile particulier pour le meurtre de Pete, ce qui signifiait que n'importe qui pouvait être la prochaine victime.

Alors qu'elle essayait d'écouter les informations, Clarisse entendit deux voix féminines se chamailler dans l'entrée. Les filles passaient leur temps à se disputer, souvent au sujet d'affaires ayant disparu, comme des tubes de rouges à lèvres ou de lubrifiant.

« Vous voulez bien baisser d'un ton, bande de gamines ? hurla-t-elle à travers le couloir.

– Sissy a pris mon lubrifiant à la vanille ! répondit une des filles en hurlant à son tour.

– Elle a mis mon pantalon léopard ! » hurla une deuxième.

Cette annonce fut suivie d'un bruit de gifles et de vêtements déchirés. Puis une des filles traita l'autre de salope.

« Je vous préviens, cria Clarisse. J'appelle Mack si vous continuez. Il baissera vos pantalons à toutes les deux et saura quoi faire de ce lubrifiant. Alors fermez-la. J'essaie de regarder les infos ! »

Les filles se turent pendant quelques secondes. Puis, comme Clarisse s'y attendait, elle les entendit se mettre des claques avant de détaler à toutes jambes et claquer leur porte derrière elles. Elle soupira et secoua la tête avant de se tourner vers la télévision.

Clarisse avait le plus grand mal à se concentrer sur le boulot. D'autant qu'ils n'avaient eu qu'un seul client pour le moment, un jeune homme prénommé Kevin qui avait profité de l'épanchement général de pleurs et de compassion pour Pete Neville pour faire sa première visite au Minou Joyeux. C'était un garçon visiblement nerveux, aux cheveux roux très clairs et taches de rousseur assorties, issu d'une famille très stricte. Son père était le pasteur de la ville et sa mère travaillait pour une association caritative, alors visiter une maison close était pour lui une mission plutôt risquée. Mais il n'avait aucun souci à se faire. La discrétion était une valeur aussi importante que l'hygiène ici.

Mais l'arrivée de Kevin et les chamailleries au sujet d'un lubrifiant à la vanille et d'un pantalon léopard n'étaient rien par rapport à ce qui attendait Clarisse. Ces événements certes agaçants n'étaient que les premières contrariétés d'une journée qui allait se révéler terriblement stressante, pleine de drames et de crises en tout genre. Elle aurait dû voir venir une de ces crises des jours et même des semaines plus tôt.

Kevin sortit en courant de la première chambre à droite dans le couloir. Il était en train de remettre la ceinture de son jean, son sweat coincé sous son bras. Il transpirait abondamment, son front était trempé de sueur. Mais ce que Clarisse vit en premier, ce fut la tache de vomi sur son maillot de corps blanc.

« Tout va bien, Kevin ? » demanda-t-elle. Le jeune homme se figea et la fixa comme s'il venait seulement de remarquer sa présence. On aurait dit qu'il avait vu un fantôme. *Ou ses parents.*

Clarisse fronça les sourcils.

« Qu'est-ce qui se passe ? »

Kevin pointa du doigt la tache de vomi orange qui souillait son tee-shirt et respira profondément avant de répondre.

« Elle m'a vomi dessus ! »

Clarisse regarda le tee-shirt souillé.

« C'est Bébé qui a fait ça ?

– Ouais. J'avais rien demandé. C'est normal ?

– Non. Est-ce que tu veux que je nettoie la tache ? »

Kevin secoua la tête.

« Non. Enfin oui, ma mère... Je voudrais pas qu'elle... Non, attendez, enfin je sais pas. Vous pouvez le faire maintenant ?

– Bien sûr, mon chéri. »

Il avait l'air sincèrement en détresse. S'il s'agissait de sa première fois ici, se faire vomir dessus par Bébé n'était pas le meilleur moyen de lui donner envie de revenir. Il fallait faire preuve de diplomatie.

« Tu as eu ce pour quoi tu as payé, au moins ? demanda Clarisse.

– Non. J'ai payé pour une fellation mais elle m'a vomi dessus presque immédiatement. C'est vraiment pas pour moi ce genre de choses. Je n'aurais pas dû venir.

– Tu sais quoi, dit Clarisse en souriant, assieds-toi ici une minute, je vais demander à Linda de venir s'occuper de toi. Pendant ce temps, je nettoierai ton tee-shirt. »

Kevin n'avait pas l'air convaincu. Il semblait même tout à fait indécis. Clarisse allait devoir se montrer plus persuasive. Elle lui indiqua un confortable canapé rouge contre le mur derrière lui.

« Assieds-toi là une seconde pendant que j'appelle Linda. Ils parlent du tueur aux infos. »

Il regarda le canapé puis la télévision. Il allait lui falloir un peu de temps pour se décider, le pauvre chéri. Il était complètement traumatisé et incapable de prendre une décision aussi simple. Tandis qu'il attendait dans le canapé, l'esprit occupé par son propre monologue intérieur et la voix du présentateur, Clarisse décrocha le téléphone et composa le numéro de Linda.

« Salut, Linda, ça t'embêterait de descendre t'occuper d'un jeune homme pendant un moment ? Le pauvre Kevin vient de vivre une première expérience un peu traumatisante et je pense que ta présence apaisante est pile ce dont il a besoin.

– Aucun problème, ma jolie. »

Clarisse raccrocha et regarda Kevin en souriant.

« Si tu veux me donner ton tee-shirt, il sera comme neuf d'ici vingt minutes. Linda te distraira pendant ce temps, et tu n'auras rien à payer en plus bien sûr. Tu vas l'aimer. Elle ne vomit jamais sur personne. Et elle fait des pipes d'enfer.

– Mais je ne fume pas.

– Je ne parlais pas de ça. Fais-moi confiance, tu vas adorer. Viens, donne-moi ton tee-shirt. »

Kevin ôta son tee-shirt et lui tendit. Puis il s'assit et passa une bonne demi-minute à se demander de quoi Clarisse voulait parler.

Au moment même où son expression révéla qu'il avait enfin compris, Linda, une blonde plantureuse et visiblement expérimentée – elle devait avoir une quarantaine d'années –, arriva et lui fit traverser le couloir jusqu'à la chambre six. Dès que la porte se referma derrière eux, Clarisse se dirigea vers la chambre de Bébé pour savoir ce qui s'était passé.

Depuis quelque temps, Bébé avait un comportement étrange. Clarisse, qui ne manquait pas d'expérience, aurait dû lui en parler plus tôt, mais Bébé n'était pas comme les autres. Elle faisait partie des malchanceuses qui ne travaillaient pas ici de leur plein gré, aussi Clarisse la laissait-elle un peu tranquille. Bébé n'avait que dix-neuf ans et elle avait été préparée à ce travail très jeune. Elle avait commencé par s'occuper de coiffer les filles et de laver le linge. Clarisse et les autres filles l'avaient élevée du mieux qu'elles le pouvaient, en préservant son innocence aussi longtemps que possible, mais elles savaient toutes ce qui l'attendait.

Le lendemain de son quinzième anniversaire, M. Mellencamp la mit au travail. Selon son habitude, il coucha avec elle avant de lui présenter son premier client pour qu'elle commence à payer pour ce toit qu'il lui offrait. Elle était rapidement devenue très populaire, en particulier auprès des hommes d'un certain âge et des gamins qui venaient ici pour leur première fois car elle les regardait toujours d'un air à la fois doux et terrifié. Pour ce qui était de Kevin Sharp, Clarisse lui avait en réalité conseillé Bébé car elle pensait qu'ils pourraient bien s'entendre tous les deux et Bébé méritait bien d'être la première à essayer d'en faire un de ses clients réguliers. En général, les jeunes hommes innocents préféraient être avec la même fille à chacune de leurs visites. Et Kevin avait l'air innocent.

Elle frappa énergiquement à la porte de Bébé.

« Bébé ? Tout va bien ? »

Aucune réponse.

Elle baissa la poignée et entra. Le lit au centre de la pièce était un peu défait, mais elle avait vu bien pire ces dernières années. Elle entendit un bruit de vomissements en provenance de la salle de bains à l'autre bout de la pièce. La porte était entrouverte. Dans l'entrebâillement, Clarisse aperçut la plante des pieds de Bébé. La jeune fille était en train de vomir, à genoux devant les toilettes, complètement nue. Ses longs cheveux noirs pendaient de chaque côté de la cuvette. Clarisse entra dans la salle de bains et s'agenouilla près d'elle, éloignant ses cheveux de son visage et des projections de vomi.

« Ça va aller, ma belle ? » demanda Clarisse.

Bébé ne leva pas les yeux et recommença à vomir. Clarisse lui frotta le dos pour essayer de la réconforter.

« Ça fait longtemps que tu es malade ? » demanda-t-elle.

Bébé leva les yeux vers elle. Des larmes coulaient le long de ses joues.

« Troisième jour d'affilée », répondit-elle.

Clarisse hocha la tête pour montrer qu'elle avait compris. Elle attendit quelques instants avant de poser la question fatidique.

« Tu as fait un test ?

– Oui.

– Ça fait combien de temps que tu sais ?

– Quelque temps. »

Clarisse lui frotta une nouvelle fois le dos avant de se lever.

« Je vais faire venir quelqu'un pour s'en occuper. »

Bébé secoua la tête.

« Clarisse, dit-elle en la suppliant des yeux, je veux le garder. »

Depuis le temps, Clarisse avait l'habitude de ce genre de situations. Plusieurs filles étaient tombées enceintes et espéraient pouvoir garder le bébé. Le meilleur moyen de gérer la situation était de faire en sorte que la fille concernée reste aussi calme que possible.

« D'accord, ma belle, dit-elle. Je vais voir ce que je peux faire pour toi. Reste ici et repose-toi. Je reviens vite. »

Clarisse savait qu'il était hors de question pour le patron de laisser Bébé mener sa grossesse à terme. Les filles enceintes n'étaient pas les bienvenues au Minou Joyeux. Plus maintenant. C'était mauvais pour les affaires. Si tout se passait comme prévu, d'ici la fin de la journée la grossesse de Bébé serait de l'histoire ancienne.

6

En vieillissant, Hank Jackson éprouvait de plus en plus de difficultés à aller chier le matin. Une cérémonie de remise de prix était plus vite expédiée que ses séjours matinaux aux toilettes, et certainement plus agréable. Cela faisait des années que son médecin lui disait qu'il devait incorporer des fruits et des fibres à son régime alimentaire, mais il ne pensait jamais à en manger, en particulier le soir, lorsqu'il était déjà bien occupé avec son pack de bières. Hank était incapable de dormir sans s'être enfilé un pack d'Heisler avant.

Son problème avec la boisson avait empiré en même temps que son problème de constipation. Depuis qu'il devait de l'argent à Silvio Mellencamp, il luttait pour garder la tête hors de l'eau. Son commerce de voitures d'occasion ne marchait pas vraiment. Les riches habitants de B Movie Hell se faisaient livrer leur voiture flambant neuve à la porte de chez eux, grâce à un système mis en place par Mellencamp. Et le problème, c'était que plus personne à l'exception d'un petit jeune de temps en temps ne s'intéressait aux voitures d'occasion. La cour de Hank était pleine de vieux tacots et d'anciennes voitures de stock-car qui avaient connu des jours meilleurs. La moitié des véhicules n'étaient que des tas de ferraille, mais il devait continuer à essayer de les vendre. Il fallait qu'il vende quelque chose rapidement pour pouvoir faire réparer une fuite au-dessus des toilettes. C'était déjà assez contraignant de passer la moitié de son temps le cul sur la cuvette mais, depuis quelque temps, il devait le faire avec un gros Stetson gris sur la tête pour empêcher la merde de la fosse septique de lui couler sur le crâne. Et le chapeau le faisait suer encore plus que tous ces efforts.

Son garage, qu'il avait nommé, dans un grand moment d'inspiration, Jackson's Motors, était ouvert depuis huit heures du matin et il n'avait vu absolument personne jusqu'à la livraison du journal, une demi-heure plus tard. Dès l'arrivée du journal, il avait foncé dans les toilettes attenantes à son bureau. Il était sur le trône depuis une demi-heure à essayer d'expulser une crotte particulièrement têtue lorsqu'il entendit la sonnette de la porte de son bureau. Son premier client en trois jours avait choisi le pire moment possible pour arriver.

« Je suis au petit coin, j'en ai pour une seconde ! » cria-t-il. Après une demi-heure d'efforts acharnés sans parvenir à sortir la moindre crotte, le stress soudain de savoir qu'il était attendu détendit un peu son estomac, mais ce ne fut que pour libérer quelques vents prisonniers. Des pets si bruyants que si le nouveau client qui l'attendait dans son bureau avait répondu à son annonce, Hank ne l'aurait certainement pas entendu.

« C'est pour quoi ? demanda Hank tout en agitant sa main devant son visage et en retenant son souffle.

– Je cherche une caisse, répondit une grosse voix d'homme.

– Vous voulez dire une voiture, ou vous voulez vraiment une caisse ? » Hank détestait les gens qui utilisaient des mots d'argot. *Une caisse !* Honnêtement, parmi tous les mots d'argot pour désigner une voiture, c'était celui qui l'agaçait le plus.

« La voiture de stock-car devant, là. Je la veux, répondit l'homme.

– OK, une minute. J'arrive. Vous voulez bien allumer la radio sur mon bureau une seconde ? »

La personne obéit diligemment et la musique filtra à travers la porte des toilettes. Hank reconnut la chanson. C'était *Earth Angel* de Marvin Berry and The Starlighters. Hank fut soulagé d'entendre l'homme dans le bureau monter le volume. Il put ainsi laisser son anus claironner sans craindre que son nouveau client ne l'entende. Il soupira de soulagement et essuya la sueur qui perlait sur ses sourcils. Même si ce qu'il voulait vraiment, c'était chier un coup, la libération du vent prisonnier soulagea grandement son malaise.

Il essuya ses mains pleines de sueur sur son polo vert pâle et se pencha pour arracher une poignée de papier toilette bon marché du rouleau posé à ses pieds. Par prudence, il se torcha rapidement d'avant en arrière, craignant d'avoir expulsé un peu plus que de l'air. Ses soupçons furent confirmés après un bref coup d'œil sur le morceau de papier toilette souillé. Il le balança dans la cuvette et en arracha une autre poignée. Il se dit qu'un dernier petit essuyage devrait suffire pour qu'il puisse remonter son pantalon en toute sécurité et courir au bureau.

Il ramassa le rouleau de papier toilette et en arracha trois feuilles. Au même moment, quelqu'un frappa un coup retentissant à la porte des toilettes. Celle-ci étant à moins d'un mètre de lui, Hank était pleinement conscient de la distance ridicule qui le séparait de son nouveau client.

« Hé, j'ai dit que j'arrivais. J'en ai pour une seconde, OK ? » cria-t-il à travers la porte.

L'homme dans le bureau ne réitéra pas ses coups. Hank n'avait aucune idée de ce qu'il était en train de trafiquer puisque la radio faisait toujours un vacarme d'enfer. Il s'essuya une dernière fois, décidant que trois ou quatre allers-retours étaient bien suffisants. Il ne prit pas la peine de vérifier les traces de pneu sur le papier cette fois-ci, de peur de perdre son client s'il ne sortait pas immédiatement. Il remonta son pantalon en vitesse et se tourna pour tirer la chasse. Il tira d'un coup sec sur la poignée, bien fermement, pour s'assurer que tout partirait. Mais dès qu'il eut lâché la poignée, il entendit un énorme fracas derrière lui. On avait défoncé la porte des toilettes. Hank se tourna, les sourcils froncés de colère, outré que son nouveau client puisse se montrer aussi impatient.

C'est à ce moment-là qu'il vit qui était ce nouveau client. C'était un homme imposant vêtu d'une veste rouge vif et d'un jean noir, le visage caché derrière un masque jaune. Un masque jaune avec un sourire infâme, des yeux vides, et coiffé d'une crête rouge.

« Merde. »

7

Être commissaire à B Movie Hell avait toujours été un boulot plutôt peinard. Le poste était traditionnellement confié à un policier proche de la retraite, qui passerait ses derniers jours en fonction à assister à des événements sociaux et des inaugurations de supermarchés. C'était tout ce qu'il y avait à faire, jusqu'à aujourd'hui. Aujourd'hui, c'était un poste de merde dont personne ne voudrait parce qu'il y avait un tueur de flic en ville.

Le commissaire O'Grady entra dans l'auditorium en prenant soin d'éviter tout contact visuel avec les autres officiers. Leurs voix se transformèrent en murmures lorsqu'il s'approcha du podium. Quand il eut pris place derrière, il régnait un silence de mort. Il leva les yeux et constata qu'il n'y avait pas un seul siège de libre dans la salle. Ce n'était certes pas le plus grand auditorium du monde, mais il n'avait jamais été rempli au point que des policiers doivent rester debout au fond de la salle, derrière cinq rangées de sièges. Pour la première fois depuis la fête de Noël, presque tous les policiers de B Movie Hell étaient présents. Il y avait en général beaucoup d'absents aux briefings. Mais il était rare qu'un flic se fasse tuer la veille d'une de ces réunions. Tout le monde était vêtu de son uniforme de fonction bleu à l'exception de deux inspecteurs au premier rang, qui étaient en civil.

La police de B Movie Hell comptait environ quarante policiers. Ce n'était pas une ville habituée aux crimes, encore moins aux crimes graves et certainement pas aux meurtres. Quant aux meurtres de policiers, c'était une première. Ils étaient en territoire inconnu.

« Bonjour à tous, commença O'Grady. Pour ceux qui ne seraient pas au courant, Lucinda a organisé une collecte pour la famille de Pete Neville. Nous avons pour l'instant assez pour acheter des fleurs et une carte, mais ce serait bien qu'on trouve quelque chose d'un peu plus personnel, alors si vous avez une idée ou si vous voulez participer à la cagnotte, merci d'aller voir Lucinda dès que possible. »

Il prit une profonde inspiration en regardant les notes qu'il avait apportées avec lui. Au-dessus de ces notes se trouvait une feuille en plastique pour le rétroprojecteur sur laquelle était imprimé un portrait-robot du tueur, réalisé selon les informations fournies par l'agent Randall Buckwater, seul témoin de la scène.

« Ce qui s'est passé la nuit dernière est terrible, dit-il en levant les yeux vers le public.

– C'est un euphémisme », marmonna une voix dans la salle.

O'Grady leva lentement les mains pour demander le calme dans l'espoir d'étouffer de potentiels emportements.

« Je ne sais pas sur quoi vous travaillez en ce moment, mais au cas où ce ne serait pas clair pour tout le monde, attraper le tueur est notre priorité numéro un. »

Quelques commentaires, la plupart d'approbation, s'élevèrent de nouveau dans la salle.

« J'ai envoyé Randall chez lui pour la matinée. Il a besoin de quelques heures de sommeil mais il n'attend qu'une chose, nous aider à trouver le tueur. Il est un peu secoué, bien sûr. Mais il nous a donné une description de l'homme qui a tué Pete. » Il regarda de nouveau le dessin. « La presse ne l'a pas encore vu, mais ce sera le cas d'ici une demi-heure.

– Alors montrez-nous ! cria quelqu'un.

– Très bien. » O'Grady souleva la feuille de plastique et la glissa sur la vitre du rétroprojecteur posé sur le bureau à droite du podium. Avant de le mettre en marche, il fit une dernière remarque.

« Le fait que le tueur portait un masque ne nous permet pas d'avoir autant de détails qu'on le voudrait, mais le masque et les vêtements sont assez particuliers. »

Il se pencha et pressa un bouton sur le projecteur. L'ampoule interne s'alluma et une image s'afficha sur le tableau blanc derrière O'Grady. Une image de l'assassin masqué qui avait tué Pete Neville.

« Quel salopard », prononça, quelque part dans la salle, une grosse voix teintée d'un fort accent irlandais.

O'Grady l'ignora et se décala pour être sûr que tout le monde voie le portrait.

« Les plus observateurs d'entre vous auront remarqué que nous avons mis des couleurs. Les couleurs sont très importantes pour ce personnage. Remarquez la veste en cuir rouge assez peu ordinaire. Aucune boutique dans le coin ne vend de telles vestes. Je suis convaincu que nous avons affaire à quelqu'un d'étranger à la ville, mais si l'un d'entre vous reconnaît la veste, merci de le faire savoir dès maintenant. »

Un silence de mort s'installa dans la salle le temps que tous digèrent l'image qu'ils voyaient sur le tableau.

« Parfait, continua O'Grady. Maintenant observez bien le masque jaune. C'est évidemment la caractéristique la plus frappante. Randall nous assure qu'il correspond parfaitement à la réalité. Il dit que l'image est gravée dans son esprit à jamais. C'est un crâne jaune avec quelques dents noircies et il jure qu'il lui souriait. Et ce truc rouge sur le dessus, c'est des cheveux, on appelle ça une crête. C'est un style très populaire chez les punks et les abrutis en général. Tant que nous n'avons pas plus d'éléments, et que personne n'a identifié ce psychopathe, on se contentera de l'appeler l'Iroquois, mais je suppose que la plupart d'entre vous sont déjà au courant grâce aux infos. »

Un des deux officiers en civil au premier rang leva la main. Il s'agissait de Benny Stansfield, un vieux détective à l'attitude assez agressive qui n'aimait pas beaucoup la paperasse et se prenait pour l'inspecteur Harry du département. C'était la bête noire d'O'Grady depuis des années. Il était à tort convaincu que le fait de travailler en civil le rendait bien plus rock'n'roll que quiconque dans le service, et que les règles normales ne s'appliquaient pas à lui. Ce qui le rendait encore plus agaçant, c'est qu'il n'avait pas l'air aussi cool qu'il le pensait. Son costume beige était un peu trop grand pour lui, mais la liberté qu'il lui donnait lui permettait de gesticuler dans tous les sens quand bon lui semblait. Et il portait la même cravate marron répugnante tous les jours. Il était évident qu'il se contentait de la jeter autour de son cou tous les matins sans jamais prendre la peine de la nouer ou de la dénouer. Ses cheveux bruns étaient gras et un peu trop longs pour un policier. Son attitude désinvolte était parachevée par une petite languette de barbe de trois jours sur son menton.

« Oui, Benny ? dit O'Grady, soulagé que quelqu'un ait finalement préféré lever la main plutôt que hurler sans y être invité.

– Pourquoi l'Iroquois ? »

O'Grady fronça les sourcils et montra du doigt l'image sur le tableau blanc.

« Parce qu'il a une crête, comme un Iroquois.

– J'ai bien compris, commissaire, dit Benny. Mais pourquoi lui donner un surnom ? Ça ne fait que le rendre plus fascinant, ce fils de pute.

– Peut-être, répondit O'Grady, sur la défensive. Mais c'est plutôt bien trouvé comme surnom, non ? »

Quelques officiers derrière Benny hochèrent la tête en signe d'approbation. Le type assis à côté de lui lui donna un coup de coude et murmura : « Il a pas tort. »

« Qui a trouvé ce surnom ? demanda Benny.

– Moi, dit O'Grady. Ça te pose un problème ?

– Je vois pas l'intérêt. »

O'Grady résista à l'envie de traiter Benny de connard, même dans sa barbe. Il se contenta d'observer les visages dans la salle pour s'assurer qu'il avait toute leur attention. C'était le moment de leur balancer la seule bonne nouvelle de la matinée.

« Vois les choses sous cet angle, Benny, dit-il en se concentrant sur le membre le plus véhément de l'assemblée. Imagine la une du journal et son gros titre : "Benny Stansfield capture l'Iroquois et décroche une récompense de dix mille dollars." Ça sonne plutôt bien, tu trouves pas ? »

Plusieurs officiers, dont Benny, se redressèrent soudain sur leur siège.

« Vous avez bien entendu, poursuivit O'Grady, il y a une récompense de dix mille dollars pour celui qui capturera l'Iroquois.

– Dix mille ? demanda Benny. Ils sortent d'où, ces dix mille dollars ?

– Silvio Mellencamp a généreusement offert une récompense de dix mille dollars à celui qui attrapera ce type vivant. »

L'évocation de la récompense eut l'effet escompté. Soudain, tout le monde sembla prêt à bondir hors de son siège pour aller traquer le tueur.

Benny leva de nouveau la main.

« Qu'est-ce qui se passe si je trouve cet Iroquois et que les circonstances font que je suis obligé de lui tirer dans la tête jusqu'à ce que mort s'ensuive ? Est-ce qu'il y a aussi une récompense ? » demanda-t-il.

O'Grady sourit. C'était précisément la question qu'il attendait.

« Si quelqu'un tue l'Iroquois, alors Mellencamp ne paiera pas les dix mille dollars. »

Des hurlements de désapprobation s'élevèrent dans la salle. O'Grady leva une main pour demander le silence avant de poursuivre :

« Laissez-moi finir. Si quelqu'un tue l'Iroquois, la récompense ne sera pas de dix mille dollars, mais de cent mille dollars. M. Mellencamp a été très clair à ce sujet. »

Au premier rang, Benny se leva et se tourna vers ses collègues. Il leva la main à la manière d'un prédicateur et cria :

« Qu'est-ce qu'on attend, nom de Dieu ? Sortons d'ici et allons trouver ce fils de pute ! »

Alors qu'un brouhaha de chaises grinçant contre le sol s'éleva dans la salle, O'Grady appela au calme.

« Attendez une seconde ! cria-t-il, juste une minute bon sang, il me reste une chose à vous dire. » Il attendit que le calme revienne et que tous les policiers se rasseyent à leur place, ou en tout cas qu'ils interrompent leur ruée vers la porte, ce qu'ils firent diligemment.

« Le FBI nous envoie deux agents pour nous aider sur l'affaire. Je ne sais pas exactement quand ils débarqueront, mais voyons si on peut trouver ce fils de pute d'Iroquois avant leur arrivée.

— Pourquoi on aurait besoin de putains d'agents du FBI ? demanda une voix dans la salle.

— On n'en a pas besoin, répondit O'Grady. La version officielle est qu'on va leur offrir toute notre aide. Mais ce que je demande en réalité à chacun d'entre vous, c'est de tout faire pour empocher ces cent mille dollars. Et n'en parlez pas au FBI. Je suis pas sûr qu'ils voient ce genre de choses d'un très bon œil. On va résoudre nous-même cette affaire et leur montrer un peu ce que c'est que la justice... la bonne vieille justice de B Movie ! »

O'Grady s'attendait à être acclamé par son public de policiers. Mais il vit qu'ils avaient tous les yeux fixés sur la porte à sa gauche. Dans l'embrasure se tenait Brenda, sa secrétaire, le visage aussi livide qu'un fantôme avec la gueule de bois. Elle tremblait de tout son corps. Depuis vingt-cinq ans qu'elle travaillait dans le département, il ne l'avait jamais vue si perturbée. Et ses cheveux étaient en bataille, ce qui ne lui ressemblait pas. Ils étaient relevés en une queue-de-cheval, cela n'avait en soi rien d'inhabituel, mais on aurait dit qu'elle venait de se battre avec une chatte en chaleur.

« Qu'est-ce qui se passe, Brenda ? demanda O'Grady.

– Commissaire, répondit-elle en repoussant quelques mèches de cheveux de ses yeux. Daisy Coltrane vient d'appeler. Elle dit qu'elle a trouvé Hank Jackson la tête dans les toilettes de son bureau. »

O'Grady soupira.

« Et ? Ça ne doit pas être la première fois.

– Elle a aussi trouvé ses mains dans la caisse enregistreuse et ses pieds sous le bureau, mais elle dit qu'elle a cherché partout et qu'elle ne trouve pas le reste. »

8

Clarisse se regarda dans le miroir et vérifia son apparence une dernière fois. Son déshabillé noir était élégant mais pas trop, juste ce qu'il fallait pour plaire à Mellencamp. Il laissait voir son soutien-gorge et son string, à condition de regarder avec insistance. Et Mellencamp aimait regarder avec insistance, même s'il avait déjà vu ce qu'elle avait à offrir un million de fois auparavant. Elle avait coiffé ses cheveux blonds juste comme il aimait et s'était assurée que ses larges boucles ne bougeraient pas d'un millimètre, même en cas de tempête, en vidant toute une bombe de laque dessus. Elle mima un baiser de ses lèvres maquillées de bordeaux pour être sûre que son rouge à lèvres soit bien uniforme. Ce détail finirait de le convaincre. Il aimait le rouge à lèvres sombre. Elle inspira profondément et frappa deux coups à la porte.

«Entrez!» lança Mellencamp.

Elle inspira une nouvelle fois, tourna la poignée et entra, se demandant dans quelle disposition elle allait le trouver. Au fil du temps, elle l'avait vu dans toutes les situations compromettantes humainement possibles, la plupart du temps le pantalon baissé. Il était parfois avec une fille, parfois avec plusieurs, et il n'était pas rare qu'il soit tout seul. Clarisse ne s'offusquait jamais de ce qu'elle découvrait, plus maintenant en tout cas.

La suite personnelle de Mellencamp comportait un immense lit à baldaquin et un jacuzzi. Il se trouvait en général dans l'un des deux. À en croire la direction dont provenait son invitation à entrer, elle supposa qu'il était dans le jacuzzi de l'autre côté de la pièce. Et elle avait raison. Elle l'y trouva vautré dans l'eau à bulles, dont dépassait son gros torse poilu. Il arborait un large sourire entouré d'un collier de barbe d'un noir de jais. Son gros crâne chauve suait abondamment.

« Salut, Clarisse, lança-t-il toujours en souriant. Qu'est-ce que je peux faire pour toi ?

– Ils ont parlé de toi aux infos ce matin, répondit-elle.

– Ah oui ? À quel propos ?

– Ils ont dit que tu offrais une récompense pour la capture de ce type qu'ils appellent l'Iroquois. »

Mellencamp ferma les yeux et ses paupières tressaillirent.

« Oh oui, c'est bon, continue. » Il respirait bruyamment, la tête penchée en arrière.

Clarisse vit une fille aux cheveux bruns émerger de l'eau en face de lui.

« Quoi ? demanda la fille.

– J'ai dit "continue". » Mellencamp repoussa sa tête sous l'eau de sa main gauche.

Clarisse ferma la porte derrière elle et se dirigea vers le jacuzzi. Elle s'arrêta à environ un mètre de Mellencamp.

« Il y a autre chose qu'il faut que tu saches, dit-elle.

– Bien. Bien. Continue.

– Une des filles est enceinte. »

Mellencamp ne répondit pas immédiatement. Il ferma les yeux et sa bouche se tordit en une grimace rappelant la réaction de quelqu'un qui viendrait de boire dans une bouteille de vinaigre. Clarisse reconnut cette expression. Il était sur le point d'éjaculer, probablement dans la bouche de Jasmine, la fille sous l'eau.

Clarisse regarda l'expression sur son visage se transformer encore plusieurs fois avant que sa mâchoire ne se relâche enfin et qu'il ouvre lentement les yeux. Ce qui signifiait à n'en pas douter qu'il avait terminé. Il tendit la main à sa droite et tâtonna jusqu'à ce qu'elle rencontre un verre de cognac posé sur le rebord du jacuzzi. Il souleva le verre et le renifla longuement.

Jasmine remonta à la surface et repoussa ses cheveux de son visage avant de chasser quelques bulles de la main. Elle se tourna et aperçut Clarisse.

« Salut, Clarisse, dit-elle en clignant des yeux.

– Salut, Jasmine. »

Mellencamp avala une gorgée de cognac et alla s'accouder du côté le plus proche de Clarisse. Il s'appuya contre le rebord du jacuzzi et leva les yeux vers elle. Le reste de son corps était toujours immergé et des bulles gouttaient de son torse poilu.

« Qu'est-ce que tu disais ? demanda-t-il à Clarisse.

– Est-ce qu'on peut parler en privé ? »

Mellencamp se tourna vers Jasmine.

« Il va falloir que tu retournes là-dessous », dit-il.

Jasmine fronça les sourcils.

« Hein ? »

Mellencamp lui sourit et se tapota le derrière. Le visage de Jasmine se décomposa lorsqu'elle posa les yeux sur les fesses du patron.

« Dépêche-toi, dit Mellencamp, Clarisse et moi devons parler en privé. »

Jasmine prit une grande bouffée d'air et disparut de nouveau sous la surface, cette fois en direction du postérieur de Mellencamp.

Clarisse savait que Jasmine aurait bientôt besoin d'air, aussi alla-t-elle droit au but.

« Une des filles est enceinte.

– Enceinte ? Mellencamp approcha de nouveau le verre de cognac de sa bouche. Laquelle ?

– Bébé. »

Il était difficile de lire sur son visage ce qu'il pensait. D'un côté, Clarisse était convaincue qu'apprendre la grossesse de Bébé le mettrait dans une rage folle, mais il fallait aussi prendre en compte le fait qu'il était en train de se faire titiller l'anus par la langue de Jasmine.

Il fit plusieurs grimaces avant de répondre.

« Comment tu sais qu'elle est enceinte ? Qui te l'a dit ?

– C'est elle. Après avoir vomi sur un client.

– Elle a vomi sur un client ? Oh bon sang ! » Son humeur s'assombrit visiblement, malgré la langue de Jasmine qui continuait à s'affairer.

« On sait qui est le père ?

– Elle dit qu'elle ne sait pas.

– Et tu la crois ?

– Je crois que c'est ce qu'elle croit.

– Très bien, fais venir le médecin alors.

– Elle veut le garder. »

Mellencamp reposa son verre. Au même moment, Jasmine refit surface derrière lui. Il lui lança un regard noir et elle comprit qu'il valait mieux qu'elle prenne une autre inspiration et disparaisse vite fait. Il regarda de nouveau Clarisse.

« J'en ai rien à foutre de ce qu'elle veut, grommela-t-il, elle ne peut pas le garder. Appelle Bob et dis-lui de s'en occuper cet après-midi.

– Mauvaise nouvelle, répondit Clarisse en grimaçant. Le docteur Bob est en vacances. Lui et Julie ont quitté la ville pour quelques jours. Ils ne rentreront pas avant deux semaines.

– Et personne d'autre ne peut s'en charger ?

– Seulement l'hôpital de Lewisville. »

Mellencamp fronça les sourcils avant de se redresser en tressaillant sous l'effet de la langue de Jasmine, qui venait visiblement de toucher un point sensible.

« Pas Bébé, répondit-il, elle ne peut pas aller à l'hôpital.

– Il y a un type qui travaille à l'hôpital mais qui a aussi son propre cabinet. Le docteur Chandler. Il ne fait pas de visites à domicile en dehors de Lewisville mais il est discret. Et pas trop cher.

– Ça veut dire qu'on doit envoyer Bébé à Lewisville ?

– Oui. S'il faut vraiment que ce soit fait maintenant, alors il faudra le faire à l'extérieur de la ville. »

Mellencamp soupira.

« Putain de merde. »

Clarisse haussa les épaules d'un air désolé.

« Dans tous les cas, elle ne pourra pas travailler pendant quelque temps. Je pense qu'il faut que ce soit fait le plus tôt possible. Plus on attend, plus elle sera déterminée à le garder. »

Jasmine remonta à la surface une nouvelle fois. Elle essuya quelques bulles de son visage et supplia Mellencamp du regard, dans l'espoir de ne pas avoir à y retourner. Il se pencha et lui caressa le visage, puis l'embrassa sur la joue et lui fit au revoir de la main. Lorsque la jeune femme sortit du jacuzzi, les yeux de Mellencamp s'attardèrent un peu sur ses fesses nues tandis qu'il réfléchissait à ce qu'il fallait faire pour Bébé. Il finit par se tourner vers Clarisse.

« D'accord, dit-il. Mais dis-lui qu'elle va à l'hôpital pour faire des examens ou quelque chose du genre. Fais-lui croire qu'on la laisse garder le bébé. Mais dis à Arnold de l'emmener. Dis-lui de s'assurer que le médecin comprend ce qu'il doit faire, tu sais, au cas où ce Chandler penserait que c'est immoral ou je n'sais quoi. Arnold fera en sorte qu'il comprenne ce qu'il doit faire.

– Arnold ? Tu es sûr qu'un autre gars ne peut pas s'en charger ?

– Tout à fait sûr. Arnold est une grosse brute sans pitié. Si le médecin a besoin d'être gentiment persuadé, Arnold le fera avec plaisir.

– Je sais bien, mais Bébé et Arnold ne s'entendent pas très bien, tu te rappelles ? »

Mellencamp attrapa son verre et but une autre gorgée.

« Tu as dit qu'elle voulait garder le bébé. Et je sais à quel point elle est casse-pieds quand elle veut quelque chose, alors dis à Arnold de s'en occuper. »

Clarisse avait du mal à croire ce qu'elle entendait.

« Tu n'as pas oublié ce qu'il lui a fait l'année dernière, si ? »

Mellencamp se redressa et retourna à sa place d'origine, son verre de cognac à la main. Il s'adossa au rebord du jacuzzi.

« Avec Arnold, dit-il, Bébé saura que si elle tente quoi que ce soit de stupide, comme essayer encore de s'enfuir, il lui fera regretter. Alors *dis à Arnold de s'en occuper.* »

9

Après un vol de deux heures, Jack Munson et Milena Fonseca atterrirent sur une base navale située à cinquante kilomètres de l'hôpital psychiatrique de Grimwald. Ils furent accueillis par les hommes de la base, dont quelques-uns connaissaient déjà Munson. Ils lui remirent les clefs d'une Mercedes-Benz flambant neuve et, cinq minutes après avoir atterri, Munson et Fonseca étaient en route vers l'hôpital. Munson avait insisté pour conduire même s'il savait que cela inquiétait un peu Fonseca, qui le soupçonnait d'avoir bu. Il fut donc ravi qu'elle accepte.

Ils n'avaient pas vraiment eu l'occasion de discuter dans l'avion. Munson avait délibérément fait des histoires en demandant au steward de lui apporter un sandwich au bacon pour finir par se plaindre qu'on lui ait mis du ketchup plutôt que de la sauce barbecue. Au moment de l'atterrissage, il avait déjà englouti trois tasses de café. Avec tout ce qu'il avait dans l'estomac, il se sentait enfin assez sobre pour gérer Fonseca. Et son humeur s'était améliorée, suffisamment pour qu'il ait envie de bavarder un peu avec elle. Il décida de profiter du trajet sur la petite route de campagne qui menait à Grimwald pour essayer d'apprendre à la connaître, mais elle le devança.

« Pincent ne m'a jamais dit toute l'histoire concernant votre congé forcé », déclara-t-elle à brûle-pourpoint.

Les yeux de Munson ne quittèrent pas la route. Et pendant un moment beaucoup plus long que la politesse le permet, il envisagea de ne pas répondre. Finalement, alors qu'elle commençait à perdre espoir, il répondit par une autre question.

« Comment vous vous êtes retrouvée chef de Pincent ?

– Il avait des problèmes.

– Quel genre de problèmes ?

– Familiaux.

– Devon n'a pas de famille.

– C'est justement son problème. »

Munson comprit de quoi elle parlait.

« Vous avez une famille ? demanda-t-il.

– Oui, mais je n'en parle pas.

– C'est la meilleure manière de gérer ce boulot. Un mari et des enfants, ça crée des problèmes. Ça fait de vous une cible.

– Je sais, répondit Fonseca, sur la défensive. Ce n'est pas mon premier jour de travail.

– Et les problèmes familiaux de Pincent. Il vous en a déjà parlé ?

– Non, mais c'est parce que je n'aime pas parler de la famille des autres, pas plus que de la mienne. Mais si vous me demandez si je sais que sa famille a été assassinée, alors oui. Et d'après ce que j'ai pu voir, il ne s'en est jamais vraiment remis et n'a jamais pu l'accepter.

– Ce n'est pas surprenant, si ? Je veux dire, ce n'est pas quelque chose que l'on accepte facilement. Ça l'a complètement anéanti à l'époque. Il n'a jamais été le même depuis, dit Munson, en se rappelant la détresse de son ami lorsqu'il avait découvert qu'il avait perdu toute sa famille en un après-midi. Mais je trouve qu'il s'en sort plutôt bien. L'agence devrait le laisser un peu tranquille.

– Ces derniers temps, Pincent est le seul du département qu'on laisse un peu tranquille, répondit Fonseca avec une pointe d'aigreur dans la voix.

– Comment ça ?

– J'ai été promue parce qu'on a découvert qu'il utilisait les ressources du gouvernement pour des affaires personnelles. Pourquoi il n'a pas été viré, ça, ça reste un mystère. N'importe qui d'autre aurait été immédiatement mis à la porte. »

Le regard de Munson quitta la route pendant un instant et se posa sur Fonseca pour la première fois depuis qu'ils avaient quitté l'aéroport.

« Qu'est-ce qu'il faisait ?

– Ce ne serait pas très professionnel de ma part d'en parler.

– Pourquoi cela ? demanda Munson en se concentrant de nouveau sur la route.

– Vous n'aimeriez pas que je parle de vos problèmes personnels à quelqu'un d'autre, si ?

– J'en aurais rien à faire. Allez, qu'est-ce que Devon faisait et qu'il n'aurait pas dû ?

– Désolée l'ami, mais c'est confidentiel, répondit Fonseca avec un bref sourire. Mais puisque vous n'en avez rien à faire de ce que disent les autres de vous, et si vous me disiez pourquoi on vous a envoyé en congés forcés ? Il n'y a rien dans votre dossier sur ce sujet. À vrai dire, il n'y a pas grand-chose dans votre dossier.

– Et vous savez pourquoi ?

. – Non. C'est pour ça que je vous demande.

– C'est confidentiel. »

Fonseca tenta une autre approche.

« Vous savez, il y a beaucoup de rumeurs dans le département, sur les raisons qui vous ont poussé à vous mettre à boire.

– J'ai dit que je ne voulais pas en parler.

– Je sais, mais le problème avec les rumeurs, c'est qu'elles ont tendance à prendre des proportions assez incontrôlables. J'aimerais juste connaître votre version des faits. »

Munson souffla bruyamment par les narines.

« Laissez tomber, grommela-t-il.

– Très bien, répliqua Fonseca sur un ton un peu plus léger. Mais il faut que vous sachiez une chose. Les jours de Pincent dans le département sont comptés. Lorsqu'on aura fini de nettoyer sa dernière connerie, il pourra dire adieu à sa carrière. Il le sait. Mais vous, si vous voulez qu'on vous confie d'autres boulots de ce genre, il va falloir que vous arrêtiez vos cachotteries, parce que vous travaillerez sous mon autorité.

– Je ne travaillerai sous l'autorité de personne. Je pars directement à la retraite après cette mission.

– C'est probablement la meilleure chose à faire, dit Fonseca, en regardant le paysage défiler par la vitre. Il n'y a plus de types comme vous dans le service aujourd'hui. Pas à ma connaissance en tout cas.

– C'est pour ça qu'ils m'appelaient le Fantôme. S'il y avait encore quelqu'un comme moi dans le département aujourd'hui, vous ne le verriez jamais. Ce serait un fantôme.

– Mais je saurais qu'il existe, je vous assure.

– Et je vous assure que vous n'en sauriez rien. Vous savez ce que mon apparition dans le bureau de Pincent aujourd'hui avait de spécial ?

– Non, quoi ?

– C'était la première fois que j'y mettais les pieds sous ma propre identité. À chaque fois que je suis venu dans ces bureaux, j'étais déguisé. En agent d'entretien, négociateur de crise barbu, comptable... Bref, tout ce que vous voulez. Les types comme moi restent aussi loin que possible des gens comme vous. »

Fonseca eut l'air surprise. Mais son expression se transforma rapidement en mépris.

« Conneries, répondit-elle avec un sourire dédaigneux. Vous n'auriez même pas pu entrer dans le bâtiment sans mon autorisation aujourd'hui.

– C'est parce que je suis de l'histoire ancienne, Milena. Il y a d'autres types maintenant, qui font tout le sale boulot que je faisais. Et vous ne saurez jamais qui ils sont.

– Faites-moi confiance, je saurais. Les choses ont changé depuis votre époque, Jack. Il n'y a plus de secrets. Pas à mon niveau.

– Oh mais si. À votre niveau, il y a des choses que vous ne *pouvez* pas savoir.

– Je suis assez haut placée pour tout savoir.

– C'est là que vous vous trompez, ma jolie. Vous êtes maintenant *trop* haut placée pour tout savoir. Quand vous êtes devenue la supérieure de Pincent, on vous a placée à un échelon où il vous est impossible de tout savoir. Parce que si vous aviez connaissance de la moitié de ce qui se passe en dessous de vous, vous seriez virée et poursuivie pour trahison. Les types comme Pincent ou moi sont là pour vous éviter ça. M'accompagner sur cette mission est la chose la plus idiote que vous puissiez faire. Vous allez voir des choses qui vont vous coller à la peau pour le reste de votre carrière. Et vous ne pourrez pas en parler parce que vous serez déjà trop impliquée. »

Fonseca sourit.

« Vous ne savez absolument pas de quoi vous parlez. Comme je disais, les temps ont changé. Et pour commencer, les agents d'aujourd'hui ne font pas de blagues ni de vannes déplacées.

– Ça, c'est ce que vous croyez. Ils les font dans votre dos. »

Le téléphone de Fonseca se mit à sonner et Munson fut horrifié de découvrir qu'elle avait pour sonnerie « As long as you love me » des Backstreet Boys. Elle répondit et parla à voix basse pendant cinq minutes, certainement avec son petit ami ou son mari, pensa Munson. Elle ne portait aucune bague qui pouvait laisser penser qu'elle était en couple. En réalité, Fonseca ne portait aucun bijou. Juste des vêtements élégants, mais simples. Elle ne laissait rien paraître, en dehors du fait qu'elle était fan des Backstreet Boys.

Elle mit brusquement fin à l'appel lorsqu'elle aperçut enfin l'impressionnant hôpital psychiatrique de Grimwald qui s'élevait à gauche de la route. C'était un imposant bâtiment de pierre gris qui se dressait au milieu d'un immense domaine. On aurait dit un château médiéval. Ses murs cachaient certainement un million d'histoires plus horribles les unes que les autres, peuplées d'individus mentalement instables.

« Nous y sommes, annonça Munson. L'ancienne maison de Joey Conrad. Vous êtes sûre de vouloir continuer ? Parce que si vous voulez prendre un taxi et rentrer chez vous, il n'est pas trop tard, vous savez.

– Oh non, je suis prête, répondit Fonseca. Attendez de voir. Je suis pleine de surprises. »

10

L 'Alaska Roadside Diner ne croulait pas vraiment sous les clients ce matin-là. Et comme son nom ne l'indiquait pas, il n'était pas situé en Alaska mais à B Movie Hell, ce qui laissait souvent perplexes les nouveaux clients. C'était malgré tout le deuxième restaurant de bord de route le plus fréquenté après le McDowell's. Quelques personnes mangeaient dans les box près des fenêtres tandis que quelques solitaires prenaient leur petit déjeuner au comptoir. Malgré le petit nombre de clients, l'Alaska était beaucoup plus bruyant que de coutume, toutes les conversations portant ce jour-là sur le meurtre de Pete Neville.

La serveuse, Candy, une blonde pulpeuse d'une quarantaine d'années vêtue d'un uniforme blanc beaucoup trop petit pour elle, prit la commande de deux types assis dans l'un des box près de la fenêtre avant de contourner le comptoir pour rejoindre la cuisine. Reg, le chef cuisinier, faisait sauter des steaks hachés tout en regardant les infos sur un petit téléviseur portable qu'il avait lui-même fixé au mur quelques années plus tôt. Mais Reg n'était pas quelqu'un de très manuel et le poste de télévision était légèrement penché vers la droite, ce qui agaçait beaucoup Candy, et probablement Reg lui-même, qui était bien trop têtu pour l'admettre. Le téléviseur était donc condamné à rester de guingois, ce qui donnait l'impression que les mots qui défilaient en bas de l'écran étaient sur le point de s'écouler par le coin inférieur de la télévision. Reg avait les yeux fixés dessus, essayant de lire les dépêches. Sa toque de trente centimètres commença à glisser lentement de sa tête lorsqu'il se pencha en avant pour mieux lire. Candy se plaça discrètement derrière lui et la remit en place pour éviter qu'elle ne glisse complètement.

Reg était un bonhomme au crâne dégarni et au visage rougeaud, dont la bedaine était la preuve pour ses clients qu'il était un grand amateur de ses propres hamburgers. Sa toque bien-aimée lui permettait de cacher sa calvitie, qu'il surcompensait en cultivant une grosse moustache broussailleuse sous son nez. Il avait également une épaisse toison de poils sur la poitrine qui dépassait de son marcel blanc. Et dès dix heures du matin, une marque de transpiration commençait à se former sur son pantalon de jogging bleu, au niveau de la raie des fesses. En le voyant comme ça, personne n'aurait pu imaginer qu'il avait été un sportif accompli et un excellent tireur au stand de tir. Aujourd'hui, il n'était plus qu'une masse de graisse informe et transpirante. Candy n'arrêtait pas de le lui répéter, mais il semblait n'en avoir rien à faire.

Elle se glissa devant lui en le bousculant un peu et sortit de la poche avant de son tablier rose une poignée de post-it où elle avait noté les commandes. Elle les colla en plein milieu de l'écran sur lequel Reg avait les yeux fixés, couvrant les images autant que possible. C'était le seul moyen d'attirer son attention. Et de l'énerver. Reg travaillait plus vite lorsqu'il était énervé.

« Y a un type vraiment louche là-bas, dit-elle. Table six, cheeseburger, frites, Coca.

— Qu'est-ce qu'il y a de louche là-dedans ? demanda Reg en décollant les post-it du téléviseur.

— Il parle tout seul.

— Comme beaucoup de gens. Je parle tout le temps tout seul quand tu n'es pas à côté.

— Je sais, je t'entends.

– Alors c'est quoi le problème ?

– Il a demandé à son ami imaginaire s'il voulait manger quelque chose. »

Reg décolla les yeux de la télévision et les posa sur elle.

« D'accord, il est un peu timbré. Mais tant qu'il paie sa bouffe et le milk-shake imaginaire de son pote, où est le problème ?

– Si les autres clients s'en rendent compte, ça pourrait les faire fuir. »

Reg regarda de nouveau le téléviseur et commença à coller les post-it sur le mur au-dessus du gril sans faire trop attention à ce qu'il faisait.

« Personnellement, dit-il, je pense que la plupart des gens préféreraient être ici avec un barje qui parle tout seul plutôt que dans la rue. D'après les infos, il y a eu un autre meurtre ce matin.

– Quelqu'un qu'on connaît ? demanda Candy en levant les yeux vers le téléviseur.

– Ils n'ont pas encore donné de nom, mais apparemment c'est quelqu'un qui travaillait au magasin de Hank Jackson.

– La seule personne qui travaille là-bas c'est Hank, non ?

– Ouep.

– Donc Hank est mort ? »

Reg fit sauter un steak haché sur le gril en fonte avec sa spatule en métal rouillée.

« Tu aurais dû être détective privé, dit-il.

– Mon Dieu, ma copine Patty est sortie avec lui pendant quelque temps. D'après elle, il avait de gros problèmes de flatulences, mais en dehors de ça, c'était un chic type.

– C'est sûrement toujours le cas, mais d'après ce qu'ils disent aux infos, c'est un chic type sans tête. Ni mains. Ni pieds. »

Candy sentit son estomac se retourner. Pendant une seconde elle crut qu'elle allait vomir et mit une main devant sa bouche juste au cas où.

« Tu plaisantes, hein ?

– Nan.

– Sérieux ? Ils lui ont coupé les mains et les pieds en plus de la tête ?

– *Ils* ?

– Tu sais ce que je veux dire. Le tueur.

– Ouais. Un témoin a vu le type à la crête rouge partir dans une des voitures de Jackson.

– C'est choquant. Il l'a tué juste pour une voiture ? »

Reg haussa les épaules et fit sauter un autre steak sur le gril. Un bruyant crépitement se fit entendre et un nuage de fumée le prit au visage. Il toussa et agita la main devant son nez pour chasser la fumée.

« Connaissant Hank Jackson comme je le connais, bafouilla-t-il, j'imagine qu'il a fait quelque chose de stupide comme lui mettre un flingue sous le nez.

– Il en a un ?

– Je sais pas. C'est bien possible. »

La réalité des meurtres frappa soudain Candy. Ce n'était pas un simple coup de folie. Quelqu'un s'employait activement à décapiter de pauvres innocents. Tous les habitants de B Movie Hell avaient une raison d'avoir peur.

« Je suis pas sûre de pouvoir dormir cette nuit, dit-elle.

– Ils vont vite l'attraper, répondit Reg.

– Qu'est-ce que t'en sais ?

– Ils ont dit aux infos que Silvio Mellencamp offrait une récompense à celui qui attrapera le type, mort ou vif. Je connais pas mal de gens qui diraient pas non à ce fric.

– Ouais, ben moi je sais ce que je ferais si je voyais le tueur, dit Candy. Je prendrais mes jambes à mon cou. Hank Jackson aurait dû courir lui aussi, ou appeler la police.

– Ça doit pas être facile d'appeler les flics quand tu es en train de te faire décapiter, j'imagine, hasarda Reg.

– C'est pas drôle.

– Je m'en fiche. »

Candy leva les yeux vers le téléviseur.

« Les flics ont déjà une idée de l'identité du tueur ? demanda-t-elle.

– Ils viennent de montrer un portrait-robot. Le masque qu'il porte est vraiment horrible. C'est une espèce de gros truc jaune en caoutchouc avec une crête rouge.

– Il a d'autres traits caractéristiques ? »

Reg baissa la tête et la regarda d'un air perplexe par-dessus une paire de lunettes imaginaires.

« Le masque ne te suffirait pas à le reconnaître ?

– Sois pas méchant, répondit Candy d'un ton sec. S'il ne porte pas son masque, comment on le reconnaît ? »

Reg se tourna vers le téléviseur.

« La voiture qu'il a volée est une voiture de stock-car jaune avec une bande rouge au milieu. Si tu n'arrives pas à repérer un type avec un masque jaune et rouge au volant d'une voiture jaune et rouge, tu mérites de te faire décapiter. Ce type n'attend qu'une chose, c'est d'être attrapé. »

Candy se remémora la dernière fois qu'elle était passée devant le magasin de Hank Jackson en voiture. C'était quelques semaines plus tôt, quand elle cherchait une voiture pour son fils qui apprenait à conduire.

« Je crois que je me rappelle cette voiture, dit-elle. Mon fils la voulait. Il la trouvait classe. Je trouvais que c'était un engin de la mort. J'imagine que c'en est vraiment un maintenant. »

Reg ne l'entendait pas, ou ne faisait pas attention à elle. Il pointa du doigt la télévision.

« Le voilà, c'est lui. »

Candy leva les yeux. Le portrait-robot du tueur était affiché à l'écran avec une légende – L'IROQUOIS : N'APPROCHEZ PAS DE CET HOMME.

Elle fixa des yeux l'écran pendant quelques secondes, le temps de bien enregistrer l'image. Elle reconnut les vêtements que portait le tueur.

Un jean noir et une veste en cuir verni rouge.

Elle resta un instant hébétée et se retint de tomber en posant une main sur l'épaule de Reg.

« C'est le type dans la salle qui parle tout seul. »

11

ébé prit une douche rapide avant d'enfiler un jean bleu clair et un sweat-shirt gris. Elle releva ses cheveux en une queue-de-cheval et songea au plan qu'elle avait préparé ces derniers jours. Pour l'instant, tout se passait comme prévu. Le docteur Bob, qui pratiquait les avortements en temps normal, était parti en vacances aux îles Fidji pour deux semaines. C'était l'opportunité qu'elle attendait depuis longtemps.

Quand elle avait vu arriver Kevin Sharp ce matin-là, elle savait qu'elle avait trouvé en lui un complice involontaire. Pendant qu'il l'attendait nerveusement sur le lit, elle s'était éclipsée dans la salle de bains et avait versé une petite quantité de sirop d'ipéca dans sa gorge. Plusieurs filles du Minou Joyeux utilisaient régulièrement ce truc pour perdre du poids. Bébé s'en était servi pour se faire vomir sur Kevin Sharp et ainsi alerter Clarisse sur sa situation. Et son plan avait marché à merveille. Clarisse en avait tout de suite conclu que Bébé était enceinte et n'avait pas pris la peine de regarder son test, ce qui arrivait normalement quand une fille affirmait être en cloque.

Quelques mois plus tôt, une des filles était tombée enceinte et avait eu l'idée stupide de dire qu'elle voulait garder le bébé. Le docteur Bob était arrivé le matin même et avait pratiqué l'avortement avant qu'elle ait pu dire quoi que ce soit. Bébé en avait déduit à raison qu'elle recevrait le même traitement. Mais avec le docteur Bob en vacances, ils avaient été obligés d'organiser hâtivement un road trip à Lewisville. Ce qui lui offrait une rare occasion de s'échapper à la fois du Minou Joyeux et de B Movie

Hell. Si elle laissait passer cette opportunité, elle n'en aurait probablement jamais d'autre.

Le premier coup dur fut d'apprendre qu'ils avaient choisi Arnold pour la conduire. Il l'avait rouée de coups moins d'un an plus tôt lorsqu'elle avait refusé de jouer à un jeu érotique particulièrement dangereux avec lui. Ils ne s'étaient pas parlé depuis. Clarisse avait fait en sorte qu'Arnold ne puisse plus approcher Bébé. Alors le fait que ce soit lui que Mellencamp ait choisi pour la conduire signifiait que si elle essayait de s'enfuir, elle pouvait s'attendre à une punition des plus sévères.

Elle avait à peine fini de nouer les lacets de ses baskets lorsque Clarisse passa la tête dans l'entrebâillement de la porte. Il était temps de partir. Un des jeunes agents de sécurité l'escorta jusqu'à l'entrée de l'établissement.

Arnold l'attendait dans une Mercedes-Benz noire, classe E. Le moteur était en marche et la portière passager déjà ouverte. Bébé monta dans la voiture et referma la portière sans regarder Arnold. La route allait être longue et certainement très calme.

Ils n'échangèrent pas un mot pendant les dix premières minutes du trajet. Bébé fit en sorte de regarder uniquement droit devant elle ou par sa vitre. La Mercedes n'était qu'une des vingtaines que possédait Silvio Mellencamp. Comme toutes ses voitures à l'exception des décapotables, elle avait des vitres teintées noires. Personne à l'extérieur ne saurait qu'elle se trouvait à l'intérieur.

Son cœur battait à cent à l'heure tandis qu'elle réfléchissait à un moyen de persuader Arnold de la laisser sortir de la voiture. Il fallait aussi choisir le bon moment, attendre de savoir par où s'enfuir. Elle regrettait de ne pas mieux connaître B Movie Hell, mais ses escapades hors du Minou Joyeux avaient été trop peu fréquentes pour qu'elle puisse ne serait-ce que savoir où elle se trouvait.

« On a assez d'essence pour aller là où on va ? » demanda-t-elle.

Arnold l'ignora. Elle compta jusqu'à dix dans sa tête avant de retenter sa chance.

« Tu n'as pas faim ? »

Il l'ignora de plus belle et regarda droit devant lui. Sa main de la taille d'une pelle était posée sur le volant. Ses avant-bras aussi étaient impressionnants. Le tee-shirt moulant noir qu'il portait couvrait à peine la moitié de ses énormes biceps. Son visage était usé et tanné à force de travailler à l'extérieur comme il l'avait fait pendant la plus grande partie de sa vie. C'était un des hommes de main de Mellencamp, qui l'employait aussi bien pour se débarrasser de ses ennemis que pour entretenir les jardins de sa propriété. Ses cheveux bruns et épais tombaient sur ses épaules. En apparence, il avait l'air d'un homme à femmes plutôt charmant, mais Bébé ne savait que trop bien que c'était en réalité une dangereuse brute misogyne.

La question de Bébé l'avait néanmoins travaillé puisque, près d'une minute plus tard, il répondit enfin.

« Y a un resto un peu plus loin. On pourra acheter à manger là-bas.

– Génial. Il faut aussi que j'aille aux toilettes. »

Pour la première fois depuis le début du trajet, les yeux d'Arnold quittèrent la route et se posèrent sur elle.

« Ne te fais pas d'illusions, dit-il. Si tu imagines pouvoir t'enfuir, je t'assure que tu vas le regretter.

– Pourquoi je voudrais m'enfuir ? On va à l'hôpital, non ?

– Ouais. Mais écoute-moi bien, si tu décides de faire l'idiote et essaies de t'enfuir, tu m'obligeras à frapper une femme enceinte, et j'ai pas envie de devoir en arriver là. Mais si je dois le faire…

– Je ne m'enfuirai pas. C'est promis.

– Bien. »

L'attention d'Arnold se porta de nouveau sur la route. Pour bien lui faire comprendre que la conversation était terminée, il alluma la radio. Ils écoutèrent la musique sans dire un mot pendant quelques minutes. À la fin de la chanson, quand l'animateur commença à parler par-dessus les dernières mesures, Bébé aperçut le restaurant un peu plus loin sur la droite. Elle pointa le doigt dans sa direction.

« C'est là qu'on s'arrête ? demanda-t-elle.

– Ouais. L'Alaska Roadside Diner », répondit Arnold en ralentissant.

Cinq voitures étaient déjà garées devant le fast-food, ainsi qu'une camionnette FedEx et un pick-up rouge. Arnold se gara entre le pick-up et une voiture de stock-car jaune ornée d'une bande rouge qui allait du capot jusqu'au coffre. En la voyant, il marmonna quelque chose comme « voiture de pédé ».

À la radio, l'animateur annonça qu'un flash info arrivait. Sans attendre de l'écouter, Arnold coupa le contact et la radio d'un même geste. Il sortit de la voiture sans refermer la portière derrière lui et se pencha vers Bébé. Un vent fort soufflait ses cheveux gras dans son visage.

« Qu'est-ce que t'attends ? demanda-t-il.

– Je voulais pas sortir trop vite, répondit-elle, au cas où tu penserais que je voudrais m'enfuir, tu sais, comme tu disais tout à l'heure.

– Contente-toi de sortir de la voiture, putain ! »

Il n'avait par l'air d'humeur à supporter plus d'insolence, aussi s'empressa-t-elle d'ouvrir la portière et de sortir de la voiture. Elle inspecta du regard les alentours. Il n'y avait rien d'autre à voir que la route sans fin qui s'étendait jusqu'à l'horizon et d'immenses champs herbeux de l'autre côté de la route. Arnold l'observait comme s'il savait exactement ce à quoi elle pensait. Son regard la défiait d'essayer de s'échapper. Ce n'était vraiment pas le bon moment. Elle allait devoir être patiente et attendre qu'il soit un peu plus distrait, ou vulnérable. Elle espérait de tout son cœur que ce moment arriverait vite.

Arnold ferma la portière derrière elle et l'attrapa par le bras gauche. Il l'escorta jusqu'à l'entrée du restaurant en la tenant si fermement qu'il n'était pas loin de laisser une marque rouge sur sa peau. Mais, aux yeux des spectateurs, ils pouvaient passer pour un couple, et Arnold pour un petit ami un peu possessif.

Lorsqu'il poussa la porte d'entrée en verre, Bébé jeta un dernier coup d'œil vers la route et les voitures garées sur le parking, dans l'espoir d'y trouver un peu d'inspiration. Le pick-up rouge pourrait bien être la solution. Elle devait seulement trouver un moyen de se cacher à l'arrière.

Arnold la poussa derrière la porte du restaurant. Bébé espérait voir des policiers en train de déjeuner, ou seulement quelqu'un qui semblerait pouvoir l'aider si elle provoquait une dispute avec Arnold. Il y avait deux jeunes hommes vêtus d'un bleu de mécanicien, qu'elle reconnut immédiatement. C'étaient deux visiteurs réguliers du Minou Joyeux. Ils étaient assis à une table à l'autre bout de la salle. On les surnommait les « clients du vendredi soir ». Ce genre de types qui sortent du boulot, boivent comme des trous dans un bar local et finissent chez Mellencamp s'ils n'ont pas réussi à choper une fille avant. L'un des deux, le plus grand, qu'elle ne connaissait que sous le surnom de Traces de pneu, avait été assez brutal avec elle lors de sa dernière visite. Le souvenir de la paume de sa main lui cognant le visage lui revint soudain et elle détourna le regard dans l'espoir de ne pas croiser le sien, ou celui de son pote, Termite.

Dans l'un des box près de la fenêtre se trouvait un jeune homme d'une vingtaine d'années qu'elle ne reconnaissait pas. Il portait une veste en cuir rouge vraiment classe. Il avait un visage buriné, une barbe de trois jours et des cheveux châtains ondulés. Ses yeux étaient fixés sur le menu posé sur la table devant lui mais, lorsqu'elle le regarda, il leva les yeux vers elle. Il la dévisagea avec une expression qui laissait penser qu'il n'aimait guère être observé ainsi. Son regard était sombre et si perçant qu'elle se sentit obligée de tourner la tête. Elle examina le reste de la salle. Tous les autres clients souriaient à Arnold ou le saluaient d'un signe de tête. Tous les habitants de B Movie

Hell semblaient bien le connaître et savaient donc certainement qu'il ne valait mieux pas le contrarier. Seul le type à la veste rouge ne le salua pas.

Arnold la tira brutalement par le bras et l'escorta jusqu'au comptoir. Il attrapa un tabouret.

« On s'assied là », dit-il en lui faisant signe de prendre place sur le tabouret.

Elle grimpa dessus. Arnold attrapa un autre tabouret sous le comptoir et l'approcha pour s'asseoir juste à côté de Bébé. Il pressa la main sur son dos pour l'obliger à regarder droit devant elle et pas vers les autres clients. Ne voyant aucun serveur derrière le comptoir, Arnold hurla en direction de la cuisine à l'arrière :

« HEY, CANDY ! Y A MOYEN D'ÊTRE SERVI ? »

La réponse arriva plusieurs secondes plus tard lorsqu'une voix de femme se fit entendre depuis la cuisine.

« J'arrive dans une seconde, Arnie ! »

Bébé se pencha en avant et tapota le bras d'Arnold, bien consciente qu'il détestait qu'on fasse ça. C'était le moment de provoquer une dispute en public.

« Arnold, dit-elle timidement.

– Quoi ?

– Je veux garder le bébé. »

Arnold inspira profondément et attrapa le menu sur le comptoir. L'expression sur son visage et un léger tic en dessous de son œil donnaient une idée du degré d'énervement que la mention de cette grossesse dans un lieu public suscita en lui.

« Boucle-la, dit-il à voix basse mais fermement.

– Mais... »

Avant que Bébé n'ait le temps de l'énerver encore plus, une serveuse plantureuse affublée d'un tablier rose émergea de la cuisine et se dirigea vers eux. Elle devait avoir la quarantaine et son visage était encadré d'une masse impressionnante de boucles blondes. Un badge en plastique sur son sein gauche indiquait «Candy» en lettres noires. Elle sourit poliment à Bébé. Mais quand Bébé lui sourit à son tour, Candy pencha soudain la tête en direction du box près de la fenêtre. Comme Bébé ne réagissait pas, elle dirigea son regard dans la même direction avant de la regarder avec de gros yeux. Bébé fronça les sourcils, alors Candy répéta ses gestes tout en affichant un sourire forcé. Bébé regarda vers les box. Candy semblait vouloir attirer son attention sur le type à la veste rouge assis tout seul. Il avait toujours les yeux fixés sur Bébé comme s'ils étaient restés posés sur elle depuis qu'elle était entrée dans le restaurant. Son regard était toujours menaçant et désagréable, aussi ferma-t-elle les yeux avant de se tourner vers Candy, qui avait enfin cessé de pencher la tête en montrant le box du regard, mais affichait toujours ce sourire volontairement forcé. Arnold ne vit rien de l'incident. Plongé dans le menu, il parcourait du doigt la liste des différents burgers.

Candy secoua la tête, soupira et se tourna vers Arnold.

«Salut, Arnold, qu'est-ce qui te ferait plaisir?»

Le doigt d'Arnold s'immobilisa sur le menu lorsqu'il vit ce qu'il voulait.

«Ça, dit-il, je vais prendre le Double Boobie, sans salade, avec une grande frite et un café noir.»

Il reposa le menu sur le comptoir et regarda Candy pour voir si elle avait bien pris sa commande. La serveuse fit la même chose qu'avec Bébé. Elle pencha subtilement la tête dans la direction du type dans le box en accompagnant son geste d'un regard insistant. Mais c'était peine perdue avec Arnold.

«T'as noté? Un Double Boobie...»

Soudain, Candy fit un pas en arrière. Ses narines s'élargirent et sa lèvre inférieure trembla. En l'espace de quelques milli-secondes, le sang sembla avoir complètement déserté son visage. Son stylo et son carnet glissèrent de ses mains et tombèrent sur le sol. Elle se mit à reculer lentement vers la cuisine tout en fixant des yeux le box au fond de la salle. Bébé tourna la tête pour voir ce qui avait tant perturbé Candy. Ce qu'elle vit lui glaça le sang.

L'homme à la veste rouge avait enfilé un masque en caoutchouc. Un masque jaune avec deux gros trous pour les yeux et une bande de cheveux rouges sur le crâne. Il se glissa hors du box et se leva. Soudain, tout autour de lui sembla se figer. Pour la première fois depuis son arrivée dans le restaurant, Bébé entendit le juke-box Wurlitzer qui hurlait dans le fond de la salle, près des toilettes. Gogol Bordello chantait « Start wearing purple ».

Ce n'est que lorsque l'inconnu masqué commença à s'approcher que Bébé comprit que l'homme qu'elle avait devant les yeux était le dangereux tueur que la police avait surnommé l'Iroquois. Il mesurait plus d'un mètre quatre-vingts et tenait dans sa main droite un couperet en métal brillant. Le soleil qui perçait à travers la fenêtre se reflétait sur sa lame acérée. Paralysée par la peur, Bébé regarda avec confusion cette imposante silhouette s'approcher d'elle et d'Arnold. Le tueur lui semblait grandir à chaque pas, occultant de plus en plus la lumière du soleil. Il s'arrêta juste derrière la silhouette d'Arnold, qui ne se doutait de rien, et leva lentement la lame.

À ce moment-là, Arnold était le seul client à ne pas l'avoir encore vu. Ce n'est que lorsque le tueur brandit la lame au-dessus de la tête d'Arnold que les clients sortirent de leur torpeur. Tout le monde se mit à hurler en même temps, pour prévenir Arnold de ce qui arrivait.

Lorsqu'il se tourna enfin pour comprendre la raison de tout ce raffut, il était trop tard. Il posa les yeux sur la terrifiante silhouette masquée qui se dressait devant lui et vit le couperet argenté dans la main de l'homme masqué s'écraser sur le comptoir dans un sifflement.

Même si la terre continuait de tourner, tout ce qui se trouvait entre les murs du restaurant bougeait maintenant au ralenti. Le court silence qui sembla durer une éternité fut finalement interrompu par l'impressionnant cri d'agonie d'Arnold. C'est à ce moment-là que tout le monde péta les plombs. Le restaurant entra en éruption, comme si toutes les personnes présentes venaient d'être éjectées d'un grand huit.

Les yeux de Bébé s'écarquillèrent de terreur. Elle avait complètement oublié ses plans pour échapper à Arnold. Sa seule pensée était d'échapper à l'homme au couperet. Valait-il mieux partir tout de suite en courant, ou attendre quelques instants en espérant ne pas attirer son attention ? Et pourquoi diable se posait-elle la question alors qu'elle aurait déjà dû être en train de courir ? La lame était retombée sur la main gauche d'Arnold, tranchant tous ses doigts et l'extrémité de son pouce.

Les autres clients bondirent hors de leurs sièges et se précipitèrent vers les sorties. Candy hurla et courut vers la cuisine. Arnold poussa un cri étranglé lorsqu'il essaya de lever sa main mutilée. Ce qu'il en restait tremblait comme si son poids était trop important, ce qui était de toute évidence ridicule. La vie semblait le quitter en même temps que le sang giclant des trous qui remplaçaient maintenant ses doigts. Son visage était pâle et ses yeux écarquillés et vitreux. Et finalement, comme s'il venait seulement de se rendre compte que la moitié de sa main avait été tranchée, il poussa un hurlement sauvage.

Les deux clients du vendredi soir assis dans le box près de la fenêtre accoururent au secours d'Arnold. Traces de pneu se jeta courageusement sur le dos de l'Iroquois et l'entoura de ses bras pour essayer de l'éloigner d'Arnold. L'homme masqué baissa la tête, pressa le menton contre sa poitrine et le balança violemment dans le visage de Traces de pneu. Malgré les cris, le bruit assourdissant des chaussures des clients fuyant vers la sortie et Gogol Bordello chantant « Start wearing purple », Bébé entendit le craquement du nez cassé de Traces de pneu. Celui-ci relâcha l'homme masqué et tituba en arrière, une fontaine de sang jaillissant de son nez. Le tueur masqué se tourna et brandit son couperet encore couvert de sang frais. D'un mouvement leste et rapide, il trancha de part en part l'estomac de Traces de pneu. Le sang jaillit d'une entaille de trente centimètres et Traces de pneu se plia en deux. Ses mains se portèrent instinctivement à son ventre pour essayer de retenir ses intestins et il s'effondra au sol. Son assaillant essuya nonchalamment le sang sur la lame du couperet avant de se tourner vers Termite. Celui-ci se figea de terreur en voyant la violence barbare dont venait d'être victime son ami.

L'expression sur le visage de Termite passa rapidement de la terreur à la perplexité lorsque l'Iroquois lui tendit délicatement le couperet. Pris par surprise, le jeune mécanicien parvint néanmoins à l'attraper par le manche. Il regarda le sang sur la lame et releva les yeux juste à temps pour voir le tueur lui balancer son poing droit dans la figure. Toujours juchée sur son tabouret, Bébé était aux premières loges pour voir le blanc des yeux révulsés de Termite. Il tomba en arrière et le couperet glissa de ses mains, le rejoignant dans sa chute.

Pendant ce temps, Arnold, les yeux fixés sur sa main mutilée, n'avait pas cessé de hurler. Le tueur masqué récupéra son couperet et se tourna face à Bébé et Arnold. Il fit deux pas dans leur direction avant d'attraper une poignée de cheveux épais sur le dessus du crâne d'Arnold, ce qui ne fit qu'accentuer ses cris. Il tira d'un coup sec pour le faire descendre de son tabouret. Dans un bruit sourd, Arnold tomba sur les fesses. Pour se défendre, il brandit le moignon sanglant qui avait jadis été sa main. Le poing de l'Iroquois s'agrippa fermement à ses cheveux et le traîna sur le sol du restaurant.

Les yeux d'Arnold roulaient dans leurs orbites, incapables de se contrôler et de se fixer sur quoi que ce soit, lorsqu'il passa devant les corps de Traces de pneu et de Termite. Il se remit à hurler, mais cette fois il parvint à articuler autre chose que des cris d'agonie.

« BÉBÉ ! beugla-t-il. AIDE-MOI ! »

Même si elle avait voulu l'aider, Bébé en aurait été incapable. Elle ne pouvait rien faire pour empêcher le psychopathe au couperet de traîner Arnold jusqu'aux toilettes à l'autre bout de la salle. Arnold se débattait et hurlait de toutes les forces qu'il lui restait, mais ses efforts étaient vains. Son assaillant ouvrit la porte des toilettes avec le talon de sa botte droite et entra à reculons, traînant toujours Arnold qui continuait à hurler et à pleurer comme un chimpanzé hystérique.

Une fois la porte refermée derrière eux, les cris d'agonie d'Arnold furent étouffés et Bébé s'aperçut qu'il ne restait plus qu'elle dans le restaurant. Elle entendit les clients en fuite démarrer leurs voitures. Et Gogol Bordello, toujours.

« It's just a matter of time. Start wearing purple, wearing purple. La la la la la. »

C'était l'opportunité qu'elle attendait. Tout ne s'était pas déroulé exactement comme elle l'avait imaginé, mais quand Dieu répond à vos prières et vous offre la possibilité d'accéder à ce que vous voulez plus que tout au monde, il faut la saisir, qu'importe s'Il vous l'offre dans un papier d'emballage des plus sinistres.

Bébé n'avait aucune envie de rester dans les parages et d'être la prochaine victime de l'Iroquois. Il ne lui faudrait sans doute pas beaucoup de temps pour finir de découper Arnold dans les toilettes. Alors, sans attendre une autre invitation, elle bondit de son tabouret, courut vers la porte et sortit sur le parking.

12

« Ça a l'air sympa par ici », déclara Munson en observant la façade de l'hôpital psychiatrique de Grimwald. Il devait pencher la tête complètement en arrière pour en voir le toit. Le bâtiment disparaissait presque dans les nuages au-dessus de lui.

« Pas étonnant que tout le monde soit cinglé ici. Regardez-moi cet endroit, ç'est aussi glauque que déprimant. »

Pour la première fois depuis le début de la journée, Fonseca semblait être d'accord avec lui. On pouvait voir de temps en temps, à intervalles très peu réguliers, une sorte de gargouille disgracieuse émerger du mur de brique. Et à intervalles encore moins réguliers, d'étroites fenêtres.

« Pas de doute, c'est vraiment un trou à rats », marmonna Fonseca, à moitié pour elle-même.

Les grandes portes d'entrée arquées devant lesquelles ils se trouvaient étaient faites de chêne épais et peintes en noir, ce qui ne faisait qu'accentuer l'austérité du lieu.

Ils attendirent près d'une minute après que Munson eut signalé leur présence à l'aide d'un gros heurtoir en pierre avant que les portes ne s'ouvrent et qu'un homme d'environ vingt-cinq ans ne les accueille. Il portait une tunique bleu clair et un pantalon assorti. Ses cheveux étaient roux et bouclés, peut-être permanentés. C'était difficile à dire. Il les salua en souriant lorsqu'ils approchèrent des portes.

« Bonjour. Puis-je vous aider ? demanda-t-il.

– Oui, bonjour. Je suis Milena Fonseca et voici Jack Munson. Nous sommes attendus.

– Oui, bien sûr, dit-il en tendant la main. Ravi de vous rencontrer. Je m'appelle Justin.» Fonseca lui serra la main. Munson remarqua immédiatement la mollesse de la poignée de main de Justin.

«Enchantée, Justin. Nous venons au sujet...»

– De Joey Conrad, l'interrompit Justin.

– Tout à fait.

– Parfait. Si vous voulez bien entrer, je vais vous conduire à sa chambre.»

Fonseca franchit la porte de l'hôpital, suivie de Munson qui, pour s'amuser un peu, écrasa la main que Justin lui tendait.

«Vous êtes le médecin de Conrad?» demanda Munson.

La poignée de main agressive le fit grimacer de douleur.

«Non, je suis juste l'infirmier, répondit-il en retirant sa main. Son médecin est occupé pour le moment.

– Qui est-ce?

– Le docteur Carter.

– Et quand sera-t-il disponible?» demanda Munson.

Justin marqua une pause avant de répondre en souriant.

«*Elle* sera disponible d'ici une demi-heure mais puisque chaque seconde compte, elle m'a demandé de vous montrer la chambre de Joey Conrad et de vous aider si vous avez besoin de quoi que ce soit d'ici son arrivée.

– Très bien», répondit Munson.

Le hall d'entrée était presque aussi déprimant que l'extérieur du bâtiment. Tout était gris. Sol gris, murs gris, plafond gris. Il ne manquait plus qu'une chanson de Morrissey en fond sonore pour parfaire l'ambiance.

«Est-ce qu'il faut qu'on signe quelque chose?» demanda Fonseca en cherchant des yeux ce qui pouvait faire office de réception. Le hall était vide à l'exception d'une petite table près d'une grande porte en acier gris à l'autre bout de la pièce. Sur la table se trouvait un vase avec quelques fleurs moribondes.

« Non, vous n'avez rien à signer aujourd'hui, répondit Justin. Par ici, je vous prie. » Il se dirigea vers la porte en acier.

« Rien à signer ? Comment ça se fait ? » demanda Fonseca sans bouger d'une semelle.

Justin s'arrêta et se tourna vers elle.

« J'ai cru comprendre que votre visite n'était pas vraiment officielle. J'imagine que vous ne voulez pas laisser de traces que d'autres pourraient trouver plus tard ?

– Tout juste », répondit Munson.

Fonseca jeta un coup d'œil à Munson. Elle n'avait pas l'air convaincue. Il lui chuchota à l'oreille :

« On peut toujours signer en partant si vous y tenez tant que ça.

– Je pense qu'on devrait, oui, murmura-t-elle à son tour.

– Je parie dix dollars que vous allez changer d'avis.

– Pari tenu. »

Pour la première fois depuis leur rencontre, ils échangèrent un sourire – un sourire qui suggérait qu'ils pensaient tous les deux gagner leur pari, et non qu'ils commençaient à s'apprécier.

Justin s'avança et passa une carte dans le lecteur sur la porte en acier. Un clic se fit entendre et la porte s'ouvrit.

« Par ici je vous prie », dit-il en leur tenant la porte. Fonseca passa la première. Munson resta en arrière, essayant d'enregistrer autant d'images de la pièce que possible, même s'il n'y avait pas grand-chose à voir.

Justin les conduisit dans un labyrinthe de couloirs mornes et gris, tout en rouspétant au sujet de divers patients qui avaient occupé les différentes chambres devant lesquelles ils passaient. Ce type semblait avoir une anecdote sans intérêt à raconter sur chaque partie de l'hôpital. Munson n'avait qu'une envie, c'était sortir la bouteille de rhum qu'il avait glissée dans la poche de sa veste.

«Il s'est échappé comment exactement, Joey Conrad?»
demanda-t-il soudain, interrompant une des anecdotes assom-
mantes de Justin. L'infirmier se tut au beau milieu de sa phrase.
Il semblait légèrement offensé et arrêta de marcher. Munson
profita de cette courte pause pour observer avec attention les
murs de pierre et les hauts plafonds afin de voir s'il y avait des
bouches d'aération ou des trappes dont on pouvait se servir pour
tenter de s'échapper.

Justin attendit quelques secondes avant de répondre à la question de Munson, comme s'il y avait plusieurs réponses possibles
et qu'il débattait avec lui-même sur la meilleure à donner. Celle
qu'il finit par choisir sonnait étrangement vrai.

«Notre système de sécurité est merdique, répondit-il.

– C'est ce que je vois», dit Munson en échangeant un rapide
regard avec Fonseca qui semblait être de son avis.

Justin ne donna pas plus d'explications, peut-être parce qu'il
était contrarié que Munson l'ait interrompu. Il se contenta de
hâter le pas avant de tourner à droite au bout du couloir et de
s'engager dans un escalier en pierre. En haut de l'escalier, ils
passèrent une autre porte et tournèrent dans un couloir bien
plus sombre que tous ceux qu'ils avaient pu voir.

«C'est la dernière porte sur la gauche. Par ici. Désolé pour
l'obscurité, mais on a des ampoules qui ont grillé.

– Sans blague», dit Munson.

Justin sortit un gros trousseau de clefs de la poche de son
pantalon et poursuivit son chemin dans le couloir. Il s'arrêta
devant la dernière porte sur la gauche et farfouilla dans son
trousseau pour trouver la bonne clef. Il déverrouilla la porte et
l'ouvrit.

«Et voilà», dit-il en s'écartant du passage.

Munson entra le premier, impatient d'examiner la pièce.
Mais il n'y avait pas grand-chose à voir. C'était une chambre
avec un lit une place, assez quelconque, qui ressemblait plus à
une cellule de prison qu'à un logement. Au bout de la chambre,

une porte ouverte donnait sur une salle d'eau de la taille d'un placard où se trouvaient les toilettes et un minuscule lavabo. Les murs étaient peints en bleu clair, comme le sol et le plafond. Alors que toutes les autres parties du bâtiment qu'ils avaient vues étaient en pierre grise, ils avaient enfin trouvé une pièce avec un peu de peinture.

«Pas vraiment un cinq étoiles, hein? observa Fonseca tout haut.

– Ce n'est pas censé l'être», répondit Justin en passant sa tête par la porte.

Munson enregistra toutes les caractéristiques de la pièce en quelques secondes. Il n'y avait aucun moyen visible de s'échapper. Pas de fenêtres, pas de ventilation, pas de grille au sol. Rien. Et ça sentait très mauvais. Il fit une deuxième tentative pour soutirer plus d'informations à Justin.

«Bon, sérieusement, comment Joey Conrad s'est échappé? Si on est vraiment dans sa chambre, il a dû faire un bon bout de chemin pour sortir du bâtiment.»

Justin acquiesça.

«Ouais, mais d'après ce qu'on sait, il est juste sorti par la porte d'entrée.

– Par la porte d'entrée?

– Ouais.

– À pied? Il est littéralement passé par la porte?»

Justin haussa les épaules.

«J'imagine. Enfin, je l'ai pas vu. Je n'étais pas de garde quand c'est arrivé. Il est peut-être sorti en valsant. Ou en moonwalkant. Vous en savez autant que moi.»

C'était peut-être l'attitude de l'infirmier, ou simplement l'air un peu rance de la chambre de Joey Conrad, mais quelle que soit la raison, Munson décida qu'il n'aimait pas beaucoup Justin. Il était agaçant.

« OK, dit Munson. Donc Joey Conrad est sorti en moonwalkant l'autre soir. Expliquez-moi comment personne n'a pu le voir et déclencher l'alarme.

– Comme je disais, notre système de sécurité est merdique. »

Munson observa longuement Justin, étudiant son visage comme pour essayer de déterminer s'il avait quelque chose à cacher. Il n'en avait pas l'air. Il faisait juste le malin.

« D'accord. Donc le système de sécurité est merdique. Ça vous embêterait de développer un peu ? demanda-t-il, défiant l'infirmier d'assumer ses propos. Vous êtes trop peu nombreux ? Pas assez entraînés ? Pourquoi la sécurité est-elle si merdique ? »

Justin prit une grande inspiration et laissa échapper un soupir avant de répondre.

« L'hôpital ne paie pas très bien alors nous avons les agents de sécurité les plus incompétents que vous puissiez imaginer. La plupart du temps ce n'est pas un problème, parce que malgré tous leurs défauts, ils sont en général un poil plus intelligents que les patients.

– Mais pas que Joey Conrad ?

– Eh bien, je ne suis ni docteur ni psychiatre, monsieur Munson, mais je dirais que Joey Conrad, même s'il est très étrange et parfois très violent, n'a rien d'un débile mental.

– Vous lui parliez beaucoup ?

– Tout le temps.

– Et ?

– Et rien. Il ne répondait jamais. Je crois qu'il ne m'aimait pas beaucoup.

– C'est étonnant », laissa échapper Munson dans sa barbe.

Fonseca jugea ce moment opportun pour intervenir.

« Ça vous ennuie si on jette un coup d'œil sur ses affaires ? demanda-t-elle.

– Je vous en prie. »

Fonseca se dirigea vers une petite commode près du lit et en ouvrit le premier tiroir. Munson continua d'interroger Justin.

« Est-ce qu'il avait des passe-temps, ou une quelconque activité qui l'isolait des autres patients ?

– Je ne crois pas », répondit Justin. Il pointa du doigt une télévision portable fixée au mur dans un coin de la chambre.

« Mais je crois qu'il aime le cinéma. Il fait partie de ceux qui ont leur propre télévision et lecteur de DVD. Et pour autant que je sache, il n'a besoin de personne pour l'aider à s'en servir. »

Il y avait une étagère sur le mur près de la télévision sur laquelle était entassée une pile de DVD. Munson s'approcha pour les voir de plus près. Il fit courir son doigt le long des différents titres qu'il avait sous les yeux.

« C'est une collection plutôt étrange pour un adulte, non ? commenta-t-il en arrivant à la fin de la pile.

– Politique de l'hôpital, répondit Justin. Ils n'ont pas le droit d'avoir des choses inappropriées, comme des films à caractère violent ou sexuel. »

Derrière eux, Fonseca posa une question.

« C'est son seul livre ? »

Munson se tourna vers elle. Elle montrait un épais livre à la couverture rouge qu'elle venait de sortir du tiroir de la table de chevet.

« Qu'est-ce que c'est ? » demanda Munson.

Fonseca prit une paire de lunettes à monture noire dans la poche de sa veste.

« La Bible, répondit-elle.

– Quel ennui.

– D'après ce que je sais, c'est son seul livre, dit Justin. Ce n'est pas un grand lecteur. »

Munson retourna voir les DVD plus attentivement. Ce n'était que des films familiaux. Il en prit un pour lire le résumé.

« N'importe qui deviendrait fou en regardant ça, dit-il.

– Qu'est-ce que c'est ? demanda Fonseca en levant les yeux vers lui.

– *High School Musical.* Il regarde vraiment ce truc ? »

Justin haussa les épaules.

« Je sais même pas d'où vient le DVD.

– Comment ça ?

– Les DVD, les cigarettes, ce genre de choses, quelqu'un les fait passer en douce aux patients.

– Et personne ne les confisque ? demanda Munson, sans parvenir à cacher le dégoût que lui inspirait l'apparent manque de discipline de l'hôpital.

– Comme je disais, la sécurité laisse un peu à désirer ici.

– Pour être précis, vous avez dit que c'était de la merde.

– Ça revient au même. Toujours est-il que si un patient veut regarder *High School Musical*, je vois pas où est le mal. »

Munson ouvrit la boîte du DVD et regarda à l'intérieur.

« Et si ce n'était pas *High School Musical* ? dit-il en le tenant en l'air pour que Fonseca puisse le voir.

– Qu'est-ce que c'est ? demanda-t-elle en regardant vers son collègue par-dessus ses lunettes.

– *Last Action Hero*.

– C'est quoi le problème avec *Last Action Hero* ? interrogea Justin en fronçant les sourcils.

– C'est très mauvais. »

Munson ferma la boîte du DVD et la reposa. Il prit le suivant. C'était une copie de *L'Incroyable Voyage*. Il ouvrit et regarda ce qu'il y avait à l'intérieur avant de le reposer pour en prendre un autre. Il vérifia ainsi les six DVD qui se trouvaient sur l'étagère. Aucune boîte ne contenait le bon disque.

« Quelque chose d'intéressant ? demanda Fonseca.

– Ouais. En plus de *Last Action Hero*, il a *Trois amigos !* et *Galaxy Quest*.

– Faut-il en déduire quelque chose ?

– Vous avez déjà vu un de ces films ?

– Il me semble que j'ai vu *Last Action Hero* il y a quelques années.

– C'est de la merde, hein ?

– À vrai dire, j'ai bien aimé. »

Munson résista à l'envie de continuer à débattre de la qualité du film.

« Eh bien, ces trois films ont tous la même intrigue.

– Comment ça ? demanda Fonseca d'un air perplexe.

– Prenez *Galaxy Quest*. Pour faire simple, les acteurs d'une série à la *Star Trek* se retrouvent dans l'espace pour de vrai et jouent le rôle de leur personnage essayant de combattre des aliens et ce genre de trucs. Dans *Trois amigos!*, trois acteurs d'un western télévisé se retrouvent dans le Far West face à un vrai gang de bandits mexicains. Et le héros de *Last Action Hero* est une sorte de personnage de film débarquant dans le monde réel. »

Fonseca avait toujours l'air perplexe.

« Quel rapport ?

– Quel rapport ? demanda Munson. Avec quoi ?

– Avec l'affaire Joey Conrad.

– Ah, aucun. J'essayais juste de vous impressionner avec mes connaissances cinématographiques.

– Pourquoi ?

– Parce que je m'y connais pas mal. »

Il remarqua que Fonseca semblait maintenant complètement perdue, et pas le moins du monde amusée.

« Et puis, ça pourrait nous donner une idée de l'état d'esprit de Joey Conrad.

– Comment ?

– Je sais pas encore.

– Donc c'était vraiment pour étaler vos connaissances cinématographiques ?

– En gros, oui. Hé, ça fait un moment que je n'ai pas bossé. Ça me manque, ce genre de plaisanteries.

– Bien. On a terminé ? demanda Fonseca.

– En fait, non. Il y a six DVD ici. Je ne vous ai parlé que de trois d'entre eux.

– Sérieusement ? Vous voulez continuer avec ça ?

– Les trois autres sont plus intéressants.

– J'espère bien. »

Il pointa du doigt les trois autres DVD sur l'étagère. C'étaient les boîtiers des *Goonies*, du *Magicien d'Oz* et du *Monde de Nemo*.

« Dans ces trois boîtes nous avons *Halloween*, *Terminator* et *Massacre à la tronçonneuse*. »

Les joues de Justin s'empourprèrent.

« Je ne savais pas qu'il avait ces films », dit-il.

Munson l'ignora et fit un signe de tête en direction du livre que Fonseca avait entre les mains.

« C'est vraiment la Bible ? Ce n'est pas une biographie de la famille Manson grimée en Bible ?

Fonseca fit non de la tête.

« Nan, c'est juste la Bible », répondit-elle en parcourant quelques pages pour s'en assurer.

Munson donna une tape amicale dans le dos de Justin.

« Vous avez dit que le docteur Carter en avait pour combien de temps ?

– Une demi-heure environ, je pense.

– Allez la chercher maintenant.

– Mais elle est occupée. »

Munson haussa légèrement la voix.

« Allez la chercher pour que l'agent Fonseca et moi puissions parler dans votre dos. »

Justin avala sa salive et rougit encore un peu plus.

« Je vais voir si je peux la trouver.

– Ne voyez pas si vous pouvez la trouver, dit Munson. Trouvez-la. *Maintenant !* »

Justin tourna les talons et s'empressa de sortir de la pièce. Munson regarda Fonseca.

« Je suis pas psy, dit-il, mais Joey Conrad se balade dans B Movie Hell avec un masque et découpe des gens avec un couperet à viande. Je dirais que ces films ont certainement eu une influence, non ?

– J'imagine, oui. Mais je ne suis pas une grande cinéphile au cas où vous n'auriez pas remarqué. Je suis plus portée sur les livres. Et je pense qu'il a été influencé par celui-ci. »

Munson regarda le livre dans la main de Fonseca.

« La Bible ? Comment ça ? »

Fonseca l'ouvrit à une certaine page et le tendit à Munson.

« Il y a un passage surligné ici, dit-elle, c'est au sujet d'une prophétie. »

Munson reposa les DVD sur l'étagère, marcha dans sa direction et lui prit le livre des mains. Au milieu d'une des pages se trouvait un passage souligné en rouge. C'était Jérémie 31 : 15.

Ainsi parle l'Éternel : On entend des cris à Rama, Des lamentations, des larmes amères ; Rachel pleure ses enfants ; Elle refuse d'être consolée sur ses enfants, Car ils ne sont plus.

Quand il eut fini de lire, il leva les yeux vers Fonseca.

« OK, ça n'a aucun sens pour moi.

– Vous avez de la chance, je m'y connais pas mal en livres. Surtout celui-ci. Le passage souligné pourrait avoir beaucoup d'importance.

– Continuez.

– Certaines personnes pensent qu'il s'agit d'une prophétie.

– À quel sujet ?

– Un massacre d'innocents. »

13

andy passa derrière les lanières d'un rideau en PVC et courut tête baissée vers la cuisine. À peine eut-elle fait deux enjambées à l'aveugle que sa tête s'écrasa contre la poitrine de Reg. Elle leva les yeux, son cœur battant la chamade. La simple vision de son chef la remplit de terreur. Reg, de son côté, avait l'air un peu décontenancé. Mais au grand soulagement de Candy, il avait son fusil de chasse dans la main droite. Et il avait enlevé sa toque de chef qui était beaucoup trop grande et lui donnait un air tout à fait ridicule.

« C'est quoi tout ce boucan, putain ? demanda-t-il.

– Il est devenu fou !

– Qui ?

– À ton avis ? Le type à la veste rouge. Il a enfilé son masque et a commencé à tuer des gens. Il faut qu'on se tire d'ici ! »

Candy essaya de contourner Reg pour courir vers la porte de derrière. Mais il l'interrompit dans sa course en l'attrapant par le bras.

« Il est toujours là ?

– Il est en train de découper des gens avec un couperet à viande. Il a coupé la main d'Arnold !

– Le grand Arnold ?

– Ouais. »

Ils entendirent tous les deux un hurlement par-dessus le son du juke-box. Il était aigu, mais pas assez pour être celui d'une femme.

« Qu'est-ce que c'est que ça ? demanda Reg.

– Ça doit être Arnold. Le type l'a traîné dans les toilettes pour hommes.

– Pour quoi faire ?

– Qu'est-ce que j'en sais moi ?

– Et merde », marmonna Reg à voix basse. Il soupira bruyamment et fit un pas hésitant vers la salle du restaurant.

– T'as appelé les flics ? demanda Candy.

– Pas encore. Je voulais d'abord le voir de mes propres yeux. » Reg passa la tête derrière le rideau en PVC et jeta un œil dans la salle.

« Il est toujours là ? » demanda Candy.

Reg recula et se tourna vers la serveuse.

« Y a une fille qui vient de partir en courant, elle était avec Arnold ?

– Elle portait un jean et un sweat-shirt gris ?

– Ouais.

– Alors oui. Elle était avec lui », dit Candy en hochant la tête. Reg fronça les sourcils.

« Bordel. Et tu crois que le type masqué est toujours en train de découper Arnold dans les toilettes ?

– Ce qu'il reste de lui, ouais. Viens, on se casse d'ici avant qu'il revienne !

– Que dalle, maugréa Reg. Appelle les flics, je m'occupe de ce merdeux.

– Chhh ! » Candy tira Reg par son débardeur pour l'éloigner du rideau en PVC.

« Je crois que j'ai entendu la porte. Il revient », murmura-t-elle.

Elle se plaça derrière le rideau, où elle espérait ne pas être vue, et regarda à travers. Le tueur masqué sortait des toilettes. Il enjamba les corps de Traces de pneu et Termite et s'arrêta pour regarder par les fenêtres de la façade du restaurant. La fille qui était arrivée avec Arnold était en train de traverser la route en courant pour rejoindre le champ de l'autre côté. Il l'observa pendant un moment avant de tourner la tête vers la cuisine, comme s'il savait qu'il était surveillé. Candy n'eut pas besoin de tirer sur le marcel de Reg une seconde fois. Comme elle, il bondit en arrière pour ne pas être vu à travers le rideau en PVC.

« Qu'est-ce que tu vas faire ? » murmura Candy.

La chanson de Gogol Bordello qui passait sur le juke-box se termina abruptement, les plongeant dans le silence pour la première fois depuis le début du carnage. Candy murmura à nouveau, plus doucement encore que la première fois.

« Qu'est-ce que tu vas faire ? »

Reg ouvrit son fusil aussi silencieusement que possible. Il tendit la main vers une poche de son pantalon de jogging et en sortit une cartouche. Il chargea le fusil, les doigts tremblant de nervosité.

« Tu vas lui tirer dessus ?

– Non, je vais lui donner le fusil, chuchota Reg, d'humeur sarcastique.

– C'était juste pour savoir. »

Reg referma son fusil d'un coup sec.

« Il est toujours là ? »

Candy se pencha en avant et regarda discrètement à travers deux lanières du rideau. Aucun signe du tueur masqué. Elle entendit la porte d'entrée se refermer lentement. Espérant que cela signifiait que le tueur était parti, elle fit quelques pas hésitants en direction du rideau.

« Je crois qu'il est parti », dit-elle en faisant signe à Reg de la suivre.

Le juke-box s'était tu, laissant la salle du restaurant plongée dans un silence total. Candy fit un pas de plus et entendit un moteur de voiture se mettre en marche. Elle passa le cou à travers le rideau. Par la fenêtre, elle vit que la voiture de stock-car jaune avec la bande rouge garée devant le restaurant avait démarré. Le tueur masqué était assis derrière le volant.

« Il s'en va ! murmura-t-elle, beaucoup plus fort cette fois. Dépêche-toi, c'est le moment ! »

Reg la bouscula et passa derrière le rideau.

« Appelle le commissaire O'Grady, ordonna-t-il. Maintenant ! »

Candy fit demi-tour et se rua vers le téléphone fixé au mur de l'autre côté de la cuisine. Elle décrocha le combiné et composa le 911, tout en tendant le cou pour essayer de voir ce qui se passait de l'autre côté du rideau. Reg avait disparu et à en croire le crissement de pneus qui se fit entendre, l'Iroquois faisait demi-tour pour s'enfuir par la route. Elle remarqua à peine la tonalité du téléphone, mais elle entendit parfaitement un bruit à l'extérieur. Une grosse détonation qui la fit bondir sur place. Elle reconnut le bruit. Reg venait de tirer avec son fusil. Même s'il provenait de l'extérieur, le bruit résonna bruyamment jusqu'à elle.

Par-dessus le coup de feu, elle entendit de justesse la fin d'un bonjour à l'autre bout du fil.

« Quel service souhaitez-vous joindre ?

– La police, s'il vous plaît.

– Je vous mets en relation. »

L'opératrice la mit en attente. Dehors, Reg tira une autre balle. Cette fois-ci, Candy l'entendit jurer bruyamment par-dessus le bruit du coup de feu. Puis une voix de femme se fit entendre à l'autre bout du téléphone.

« Police de B Movie Hell, en quoi puis-je vous aider ?

– Oui, bonjour, c'est... »

Avant que Candy n'ait le temps de finir sa phrase, elle entendit une sirène de police à l'extérieur. Elle fit quelques pas en direction de la cuisine, tirant autant que possible sur le cordon téléphonique. Une voiture, avec sa sirène hurlante et son gyrophare rouge et bleu, passa à toute vitesse devant le restaurant. Immédiatement après, Candy entendit Reg tirer de nouveau. Elle remit son oreille contre le combiné.

« Oui, désolée, j'appelais au sujet d'un meurtre à l'Alaska Roadside Diner, mais une voiture de police vient de passer. Je crois que vous êtes déjà au courant.

– Candy ? »

Candy reconnut la voix de la femme.

« Oui, Lucinda, salut. Le psychopathe masqué était ici. Il a tué au moins trois personnes... Enfin, je crois.

– Reste calme, Candy. On a envoyé plusieurs voitures à l'Alaska. Et au moins une voiture est déjà à la poursuite du suspect. Il ira pas bien loin. On va l'avoir cette fois.

– Merci, Luce.

– Je dois y aller. Le standard clignote. »

Lucinda raccrocha. Candy reposa le combiné et se tourna juste à temps pour voir Reg revenir dans la cuisine, son fusil à la main. De la fumée s'échappait lentement du canon.

« Alors ? » demanda-t-elle.

Reg fit non de la tête.

« Tu l'as raté complètement ?

– Qui ?

– L'Iroquois.

– Ah, lui. Ouais, il avait déjà fait presque un kilomètre quand je suis sorti. Mais j'ai eu la fille. Je l'ai touchée au bras, je crois. Ça l'a un peu assommée mais elle s'est relevée et elle est repartie en courant. Après, elle était trop loin pour que je puisse bien viser. »

Candy chancela, abasourdie.

« Tu as tiré sur la fille ?

– Ouais.

– Mais pourquoi ?

– T'as pas vu la tache de naissance qu'elle avait sur le visage ?

– Non. Quelle tache de naissance ?

– Laisse tomber. Donne-moi le téléphone, il faut que je passe un coup de fil. »

14

« **D** 'accord, mais la religion c'est pas vraiment mon fort, admit Munson. C'est quoi cette putain d'histoire de massacre d'innocents ? »

Fonseca aurait pu se délecter de connaître quelque chose que Munson ignorait, mais elle était assez courtoise pour ne pas le faire, même après qu'il lui eut infligé ce pénible étalage de connaissances cinématographiques. En plus, fanfaronner pour quelque chose qu'elle avait appris au catéchisme quand elle était gamine, ce n'était pas son genre. Elle lui montra la page de la Bible avec le passage souligné.

« Vous avez entendu parler du roi Hérode, n'est-ce pas ?

– Ouais, j'en ai entendu parler, mais mes connaissances à son sujet s'arrêtent là.

– Eh bien, c'était un roi il y a plusieurs millénaires, dit Fonseca, comme si elle racontait l'histoire à un enfant. Le jour où il apprit que le fils de Dieu venait de naître, il envoya des soldats tuer tous les garçons de moins de deux ans.

– Ça s'est passé où exactement ? demanda Munson.

– À Bethléem. Ou Jérusalem. Je sais plus exactement. Ce n'est pas très important.

– Sans blague. »

Fonseca sortit un téléphone de sa petite veste noire. Elle s'en servit pour prendre une photo du passage souligné de la Bible, puis se tourna vers Munson.

« Pour faire simple, le roi Hérode a appris qu'un garçon était né à Bethléem. On l'a mis en garde contre ce garçon qui deviendrait roi des Juifs et finirait par le renverser. Alors il a envoyé ses hommes à Bethléem en leur ordonnant de massacrer tous les garçons de moins de deux ans.

– C'est stupide.

– Quelle partie ?

– Toute l'histoire. Ça n'a aucun sens. Quel genre d'idiot ordonnerait le massacre d'enfants innocents ?

– Un roi, un président, un Premier ministre...

– Vous n'en avez jamais assez de faire la maligne ?

– Non. Et vous ?

– Jamais. Alors qu'est-ce que ça signifie ? Vous voulez dire que Joey Conrad a l'intention de tuer plein d'enfants innocents ?

– Pour le moment, on n'est même pas sûrs que ce soit lui qui ait souligné le passage.

– C'est vrai, admit Munson. Mais imaginons que ce soit lui, pour simplifier les choses. Après tout, on n'a pas grand-chose d'autre pour le moment. Qu'est-ce qui aurait pu le pousser à vouloir tuer de jeunes garçons ? »

Fonseca ferma le livre et le replaça dans le premier tiroir de la table de nuit qu'elle referma.

« Je pense que c'est une question à poser à son psychiatre quand elle sera là. Joey Conrad n'a peut-être pas l'intention de tuer de jeunes garçons. Pour l'instant, il n'a tué qu'un policier innocent.

– *Pour l'instant*, dit Munson d'un air concentré. Mais ce type-là, le roi Hérode, vous dites qu'il voulait seulement tuer le petit Jésus, c'est ça ?

– C'est ce que dit la Bible.

– Et pourquoi il voulait tuer Jésus, déjà ? J'ai du mal avec cette partie. Quel mal pourrait faire un bébé à un roi ?

– Aucun. Bébé, Jésus n'aurait évidemment pas pu faire de mal à Hérode, ni se défendre d'ailleurs. Mais Hérode craignait qu'il ne devienne une menace en grandissant. C'était beaucoup plus simple de le tuer quand il était bébé. »

Munson ricana.

« Qu'est-ce qu'il y a de si drôle ? demanda Fonseca.

– Ça ressemble un peu à un plagiat de *Terminator* si vous voulez mon avis... »

Les mots avaient à peine quitté sa bouche qu'il prit conscience de ce qu'il venait de dire, en même temps que Fonseca.

« C'était quoi déjà, ces films ? demanda-t-elle.

– *Halloween*, *Massacre à la tronçonneuse* et *Terminator*. »

Munson retourna voir les DVD qu'il avait examinés un peu plus tôt. Avant même d'en avoir pris un, il pivota sur lui-même et regarda Fonseca, avec une étincelle de vie dans les yeux. Il se passait enfin quelque chose dans ce cerveau encore imbibé d'alcool. Ses neurones fonctionnaient maintenant à toute vitesse.

« Quoi ? demanda Fonseca.

– Le flic hier, il l'a tué avec un couperet, c'est bien ça ?

– Oui. Pourquoi ?

– *Massacre à la tronçonneuse*. L'arme préférée du tueur, c'était un couperet.

– Vraiment ? Parce que même si je ne l'ai jamais vu, j'aurais plutôt imaginé que c'était une tronçonneuse.

– Bien sûr, c'est ce que pensent les non-initiés. Mais quiconque a vu le film plus d'une fois sait qu'il utilise le plus souvent un couperet, puisqu'il découpe ses victimes comme de la viande, puisque c'est un cannibale.

– Où voulez-vous en venir ?

– Je me disais que Joey Conrad était peut-être en train de reconstituer des scènes de ces films. Il porte un masque, c'est un indice plutôt évident. Et il utilise un couperet, ce qui est un peu moins évident.

– C'est peut-être un hommage, suggéra Fonseca.

– Techniquement, ils portent tous un masque de toute façon, répondit Munson en réfléchissant tout haut. Je veux dire, les tueurs d'*Halloween* et de *Massacre à la tronçonneuse* portent bien un masque. Et Terminator, c'est un cyborg avec un visage humain.

– Donc le masque est un hommage, et le couperet aussi. Où voulez-vous en venir ? Comment est-ce que ça va nous aider à l'attraper ?

– Eh bien, Terminator et le tueur d'*Halloween* étaient tous les deux à la poursuite d'une jeune femme. Le type d'*Halloween*, Michael Myers, arrive dans cette ville, Haddonfield. Il est à la recherche de la sœur dont il a été séparé il y a longtemps ou quelque chose comme ça. Et Terminator, il débarque à Los Angeles je crois, et il essaie de tuer une femme avant qu'elle ne mette au monde le sauveur de l'humanité. »

Munson avait l'impression d'être dans une impasse et ne savait absolument pas où cette théorie le mènerait.

« Vous vous raccrochez aux branches », dit Fonseca.

Ils furent interrompus par une voix de femme.

« En réalité, il pourrait bien être sur la bonne piste. »

Fonseca pivota sur elle-même pour voir qui avait parlé. À l'entrée de la chambre se trouvait une femme d'environ trente-cinq ans. Elle portait une longue blouse blanche par-dessus une tunique bleue. Ses longs cheveux châtains étaient attachés en une queue-de-cheval. Son visage était pâle et très mince, seul son rouge à lèvres rouge vif s'en détachait. Elle leur sourit.

« Bonjour, je suis le docteur Carter. Il faut qu'on parle. Il y a plusieurs choses que vous devez savoir sur Joey Conrad. »

15

Bébé s'enfuit en courant vers le parking. Elle n'avait aucune idée de la meilleure direction à prendre. Elle réfléchit au projet qu'elle avait imaginé plus tôt : se cacher à l'arrière du pick-up. C'était maintenant bien trop risqué et tout simplement stupide. Sa priorité numéro un était de fuir aussi loin que possible du restaurant. Elle pourrait courir le long de la route, mais si le tueur masqué avait une voiture, ce n'était peut-être pas la chose la plus intelligente à faire. Elle décida finalement de traverser la route pour rejoindre le champ de l'autre côté.

Elle était incapable de se souvenir de la dernière fois qu'elle avait piqué un sprint, mais elle traversa la route en courant comme elle n'avait jamais couru avant. Malheureusement, la nature n'avait pas fait d'elle une grande sprinteuse. Ses bras et ses jambes partaient dans tous les sens, et ses mouvements maladroits ne faisaient que la ralentir et la fatiguer inutilement. Sur le parking du restaurant, tous les véhicules fonçaient vers la route, à l'exception de la voiture jaune à la bande rouge et du pick-up. Ce dernier appartenait certainement à Traces de pneu ou Termite. Quant à la voiture jaune et rouge, Bébé était presque certaine qu'il s'agissait de celle du tueur.

Le champ s'étendait à perte de vue. Ses herbes hautes se balançaient au gré du vent, oublieuses de l'urgence qui agitait les environs. Les broussailles griffaient les chevilles de Bébé qui avançait péniblement à travers. Elles lui arrivaient presque aux genoux et rendaient sa course encore plus épuisante. Elles étaient si hautes qu'elles cachaient les irrégularités du sol sous ses pieds. À chacun de ses pas, Bébé sentait ses pieds se poser maladroitement, se tordant dans un sens ou dans l'autre. Elle savait qu'elle risquait fort de tomber ou de se fouler la cheville, mais c'était un risque qu'il fallait prendre.

Elle n'avait couru qu'une trentaine de mètres à travers le champ lorsqu'elle entendit le premier coup de feu. Malgré la distance qui la séparait du tireur, le coup résonna bruyamment jusqu'à elle. Elle n'osa pas regarder en arrière mais pria pour que quelqu'un ait tiré sur le tueur masqué.

Une rafale de vent lui fouetta le visage alors qu'elle essayait de reprendre son souffle. Étrangement, le vent sembla vider l'air de ses poumons plutôt que les remplir. Elle sentit qu'elle commençait déjà à ralentir, à perdre de l'énergie et de la vitesse à chaque foulée. Elle n'avait parcouru qu'une vingtaine de mètres supplémentaires lorsqu'un deuxième coup de feu retentit, suivi par le bruit d'une sirène de police. Il semblait régner un chaos de tous les diables derrière elle, mais elle avait l'horrible sentiment que si elle se retournait pour voir ce qui se passait, elle verrait le psychopathe masqué lui courir après. S'il ressemblait aux tueurs masqués de la plupart des films d'horreur, il marcherait très lentement mais parviendrait tout de même à la rattraper. Aussi se fit-elle la promesse que si elle trébuchait, elle ferait ce qu'il y avait de plus sensé à faire, c'est-à-dire se relever immédiatement, contrairement à la plupart des personnages dans les films d'horreur, qui se mettaient inexplicablement à ramper au lieu de se relever et courir.

Elle commençait à perdre son souffle et sentait ses jambes fléchir. Consciente qu'elle ne pourrait pas continuer ainsi beaucoup plus longtemps, elle était malgré tout déterminée à aller le plus loin possible.

BANG !

Elle ne savait pas exactement d'où provenait le bruit mais elle eut soudain l'impression que quelqu'un venait de lui planter un tisonnier brûlant dans le bras. Le choc fut si brutal qu'elle se sentit vaciller. Elle trébucha, se tordit la cheville et perdit complètement l'équilibre.

Pendant quelques secondes courtes mais terrifiantes, elle ne vit qu'une répétition interminable des mêmes images.

Herbe,

Ciel bleu,

Herbe,

Ciel bleu,

Herbe

BAM

Herbe.

Elle atterrit la tête la première dans les broussailles. Heureusement, l'herbe était assez haute pour qu'on ne la voie pas depuis la route. Pendant quelques secondes, elle resta à terre, assommée par la chute, ne sachant toujours pas ce qui l'avait causée. Elle roula sur le côté, son corps toujours caché par les hautes herbes. Son cœur battait à tout rompre, et elle avait toujours du mal à respirer. Et la tête lui tournait à cause de tous ces flashs de bleu et de vert.

Mais, surtout, son bras était blessé. Juste au-dessus du coude. C'était comme si un animal sauvage lui avait arraché un morceau de bras et qu'un parasite était en train d'en sucer le sang. Elle roula sur le dos et fixa des yeux le ciel bleu clair. Le soleil brillait. Mais elle n'entendait plus aussi bien qu'avant. Elle percevait toujours la sirène de police et peut-être aussi l'écho d'un coup de feu et des crissements de pneus. Mais tout était flou et les sons se mélangeaient. Soudain, elle entendit une voix d'homme lui parler distinctement, sur un ton ferme.

« *Lève-toi! Cours!* » Elle reconnut la voix. Dans l'œil de son esprit, elle vit le visage de l'homme qui venait de parler. Il avait l'air sérieux. Il *était* sérieux.

« *Fais ce que je te dis.* »

Elle inspira plusieurs bouffées d'air frais et s'appuya de son bras intact contre le sol pour se relever sans tomber. Elle était seule au milieu du champ. La tête lui tourna de plus belle lorsqu'elle réussit à se lever. Son crâne était comme rempli de barbe à papa, collant et nuageux. Elle posa la main sur son bras blessé dans l'espoir d'enlever ce qui causait cette douleur. La paume de sa main toucha quelque chose d'humide et chaud sur sa manche. Elle baissa les yeux. Sa main était couverte de sang. *Son sang.* Un filet s'écoulait d'une entaille juste au-dessus du coude. On aurait dit que quelqu'un avait déchiré la manche de son sweat-shirt avec un couteau rouillé.

Elle paniqua à la vue du sang. Comment était-ce arrivé? Elle jeta un coup d'œil rapide vers le restaurant. Il n'y avait aucun signe de l'homme masqué, mais ça ne voulait pas dire qu'il n'était pas quelque part dans les parages, peut-être caché dans les hautes herbes.

Le restaurant lui paraissait assez loin maintenant. La voiture jaune avec la bande rouge était partie. À sa place se tenait un vieil homme au crâne chauve et transpirant qui l'observait, vêtu d'un marcel blanc. Elle avait du mal à garder les yeux fixés sur lui, mais elle crut reconnaître un des clients du Minou Joyeux. Il avait un fusil à la main et il semblait être en train de le recharger. Elle toucha le sang sur son bras. Est-ce que cet homme venait de lui tirer dessus?

Putain. Ça ne pouvait être que ça.

Elle entendit de nouveau la voix masculine. « *Cours, Bébé, cours.* »

C'était un bon conseil. Elle tourna le dos au vieil homme au fusil et, rassemblant le peu de force qui lui restait, elle reprit sa course aussi loin que possible à travers le champ.

Elle n'entendit pas d'autres coups de feu. En réalité, elle n'entendait rien d'autre que le son de sa propre respiration, qui était de plus en plus bruyante. Lorsqu'elle fut incapable de poursuivre sa course, elle s'arrêta pour reprendre son souffle.

La route et le restaurant n'étaient plus qu'une petite tache sur l'horizon derrière elle. Personne ne semblait la traquer. Mais il fallait quand même qu'elle continue d'avancer car son bras perdait toujours du sang, pas abondamment, mais assez pour qu'elle sente sa blessure la tirailler. Elle pressa sa manche contre la plaie dans l'espoir de ralentir le saignement. Le tissu était déjà imbibé d'une tache sombre qui continuait à s'étendre. Plus elle marchait, plus ses jambes fléchissaient. Ses genoux commençaient à lui faire mal et ses pieds étaient lourds. Mais au moment même où elle crut ne plus pouvoir continuer, elle aperçut un petit cottage au loin. Elle rassembla toute l'énergie qu'elle put trouver et prit la direction de la maison, d'un pas de plus en plus incertain.

Lorsqu'elle atteignit le cottage, la sensation d'étourdissement s'était transformée en nausée. Elle essaya d'inspirer profondément et cligna désespérément des yeux pour s'empêcher de tomber dans les pommes. Si elle pouvait simplement atteindre la porte du cottage et s'asseoir pendant quelques minutes, tout irait mieux. Et elle ne dirait pas non à un verre d'eau.

Le cottage était vieux et délabré. Les murs étaient faits de lambris blanc bringuebalant et le toit de chaume avait connu des jours meilleurs. Il y avait tout autour une palissade blanche branlante, interrompue en son milieu par un portail ouvert. Elle tituba jusqu'au portail et reposa sa main gauche sur un des panneaux en bois. La paume de sa main laissa un peu de sang sur la clôture.

Il y avait des petites fenêtres carrées le long du cottage, certaines couvertes d'un voilage qui l'empêchait de voir à travers. Tout au bout se trouvait une étroite porte rouge. La peinture était écaillée à plusieurs endroits, signe qu'elle n'était plus toute jeune.

Bébé tituba jusqu'à l'entrée. Avant qu'elle ait le temps de frapper, la porte s'ouvrit de l'intérieur. La tête d'un homme apparut dans l'entrebâillement. Il avait une quarantaine d'années et son visage était étrangement complexe. Aucun de ses traits n'était vraiment là où il aurait dû être. Il avait de grosses joues et d'épaisses rouflaquettes. Ses cheveux en bataille recouvraient ses oreilles. Il l'observa de ses yeux verts, plissés, remplis de suspicion.

« Qu'est-ce que vous voulez ? » demanda-t-il, ses lèvres bougeant en décalé par rapport aux mots.

Bébé lutta pour articuler sa réponse, parvenant à peine à se faire entendre.

« Je crois qu'on m'a tiré dessus. »

L'homme regarda son bras. Elle souleva sa main gauche ensanglantée.

« Oh mince, il faut vous soigner. »

Il ouvrit la porte en grand et s'écarta du passage. Bébé cligna des yeux à plusieurs reprises pour être sûre qu'ils ne lui jouaient pas des tours. L'homme portait un costume bleu avec une cape rouge. Il était déguisé en Superman, même si, Dieu merci, il portait un short rouge plutôt qu'un slip. Il était à peine plus grand que Bébé, un peu moins d'un mètre soixante-dix. Il passa derrière elle, glissa un bras autour de ses épaules et lui tint délicatement le poignet.

« Venez, vous n'avez pas l'air très stable.

– Je crois que je vais tomber dans les pommes.

– Ne vous inquiétez pas. Vous êtes entre les mains de Supergirl. Venez, entrez.

– Vous voulez dire Superman ? »

Il ne répondit pas. Ça n'avait pas beaucoup d'importance. Bébé était soulagée d'avoir trouvé quelqu'un si accueillant et si compatissant. Il avait fait attention à ne pas serrer son bras blessé trop fort, et elle lui en était reconnaissante. Il la fit entrer dans la maison.

« Je vais vous préparer du thé. Ensuite on s'occupera de cette blessure.

– Merci, répondit Bébé, c'est très gentil de votre part. »

Elle franchit la porte rouge et entra dans une cuisine au carrelage rouge, poussiéreux et froid. Au centre de la cuisine, il y avait deux chaises et une grande table en bois, qui ne comportait rien d'autre qu'une théière marron sur un grand sous-verre en osier.

« Asseyez-vous, dit Superman, je vais faire chauffer l'eau. Ça ira mieux après une bonne tasse de thé sucré.

– Je ne prends pas de sucre.

– Peut-être, ma jolie, mais vous avez perdu beaucoup de sang. Il va falloir faire une exception. Le sucre vous fera du bien. Il vous maintiendra éveillée et revigorera vos globules rouges.

– Oh, d'accord. »

Il l'escorta jusqu'à la chaise la plus proche et aida Bébé, qui était sur le point de s'effondrer sur le sol, à s'asseoir. Elle était soulagée d'être enfin assise. Être entre les mains de quelqu'un qui semblait savoir ce qu'il faisait la tranquillisa un peu. Elle réussit à reprendre son souffle et recouvra un peu ses esprits. L'anxiété qu'elle avait ressentie en voyant le sang pour la première fois commençait à se calmer.

« Vous pouvez m'appeler Litgo, je suis pas vraiment Supergirl.

– D'accord. »

Elle l'entendit fermer la porte d'entrée derrière elle et tourner un verrou. Elle regarda par-dessus son épaule et le vit glisser une clef en métal rouillé dans la serrure. Il la tourna et un autre verrou se déclencha. Il remit la clef dans une poche de son short rouge et se tourna face à elle.

Il la regarda avec un grand sourire et, pour la première fois, Bébé remarqua qu'il lui manquait une dent de devant. La vision de ce sourire édenté la choqua un peu et elle recommença à se sentir étourdie.

« Je vais tomber dans les pommes, dit-elle, consciente qu'elle murmurait.

– Tout va bien, Bébé, dit-il en s'approchant d'elle, ses traits devenant de plus en plus flous à mesure qu'il approchait. Vous êtes en sécurité maintenant.»

Bébé sut qu'elle était sur le point de s'évanouir lorsque tout autour d'elle devint sombre et flou. Litgo l'attrapa par les épaules pour l'empêcher de glisser de la chaise.

Avant de perdre connaissance, elle parvint à lui poser une dernière question.

«Comment connaissez-vous mon nom?»

16

L e docteur Carter conduisit Fonseca et Munson dans la salle de repos du personnel de l'hôpital. «Désolée, ce n'est pas vraiment un cinq étoiles», dit-elle d'un air confus en désignant la pièce d'un grand geste.

Et c'était peu dire. Munson examina l'assortiment de vieux canapés affaissés disposés tout autour de la pièce. Au centre se trouvaient une table de cuisine en bois avec quelques chaises en plastique. Même dans son appartement, Munson avait de plus jolis meubles.

«Mais non, dit-il poliment, c'est parfait, vraiment.

– Tous les meubles ont soit été achetés d'occasion, soit donnés par une association caritative, ajouta le docteur Carter. Je peux vous offrir un café ?»

Au bout de la pièce se trouvait une kitchenette avec un buffet sur lequel étaient disposés un micro-ondes, une bouilloire et une demi-cafetière de café filtre.

«Noir, deux sucres, dit Munson.

– Au lait et sans sucre pour moi, s'il vous plaît», dit Fonseca.

Le docteur Carter leur indiqua la table blanche au milieu de la pièce.

«Je vous en prie, asseyez-vous.»

Tandis que Munson et Fonseca s'installaient, Carter farfouilla dans un placard au-dessus de la cafetière pour en sortir deux grandes tasses, une rouge et une bleue, et un pot de lait en poudre. Les tasses étaient fendues et couvertes de taches marron. Il flottait dans l'air une franche odeur de café brûlé.

« Ça fait combien de temps qu'il chauffe, ce café ? » demanda Munson.

Pour toute réponse, le docteur Carter se contenta de hausser les épaules. Elle versa une cuillerée de lait en poudre dans la tasse rouge. Lorsqu'elle souleva la cafetière de son socle, Munson comprit qu'il était loin d'être frais. Le liquide qui stagnait au fond était beaucoup plus sombre et épais que le reste.

« Vous en prenez un aussi ? s'enquit-il.

– Non, je supporte pas ça », répondit Carter.

Munson jeta un coup d'œil en direction de Fonseca et comprit qu'elle aussi avait vu l'état du café et qu'elle était bien consciente que le moins chanceux des deux allait se retrouver avec le fond terreux et répugnant de la cafetière.

Ils tendirent tous les deux le cou pour voir quelle tasse aurait la bonne partie. Le lait en poudre dans la rouge laissait penser qu'elle était destinée à Fonseca. Le docteur Carter pencha la cafetière au-dessus de la tasse bleue et s'apprêtait à en verser le contenu lorsque Fonseca l'interrompit.

« Est-ce que Joey Conrad s'est déjà montré violent ? » demanda-t-elle.

Le docteur Carter se tourna, embarquant avec elle le café rance.

« Oui. Il a décapité quelqu'un la nuit dernière. C'est pour ça que vous êtes là, non ?

– Oui, bien sûr, répondit Fonseca. C'est la rouge la mienne, c'est ça ?

– Oui. »

Le docteur Carter se retourna et versa le café dans la tasse rouge de Fonseca. Celle-ci fit un clin d'œil à Munson qui, en retour, articula silencieusement le mot « salope », avant de faire un grand sourire pour montrer qu'il plaisantait.

Carter finit de verser le café et leur apporta les deux tasses. Elle les posa devant les agents et s'assit en bout de table.

« Il a déjà été violent par le passé ? demanda Munson, tout en touillant quelque chose qui flottait à la surface de son café. Je veux dire, récemment ?

– Oui.

– Vous pourriez nous en dire un peu plus ?

– Vous savez qu'il a de nouveau frappé ce matin ? » demanda le docteur Carter.

Munson et Fonseca échangèrent un regard inquiet. Ils l'apprenaient tous les deux.

« Comment ? Que s'est-il passé ? demanda Munson.

– Il a tué un vendeur de voitures d'occasion et volé une vieille Chevrolet. Il est toujours à B Movie Hell. »

Fonseca se pencha en avant.

« C'est arrivé il y a combien de temps ?

– Il y a une heure environ. C'était aux infos juste avant que vous arriviez. C'est pour ça que je n'étais pas là pour vous accueillir. Je voulais être au courant des dernières informations.

– Un seul mort ? demanda Munson.

– C'est ce qu'ils disent aux informations.

– Cause de la mort ?

– La même que le policier hier. Tête coupée avec un couperet. Les pieds et les mains aussi apparemment. »

Fonseca grimaça.

« Vous savez où il a pu se procurer ce couperet ? Ou le masque et les vêtements qu'il porte ?

– J'imagine qu'il s'est arrêté chez un boucher et dans un magasin de déguisement.

– Il n'a pas pu se les procurer ici ?

– Non. »

Munson se gratta le menton.

« Et vous dites qu'il a volé une voiture ?

– Oui. C'est ce qu'ils disent aux infos.

– Mais ils n'ont pas encore déterminé son identité ?

– Non.

– Et vous n'en avez parlé à personne ? »

Le docteur Carter secoua la tête.

« On a des consignes très strictes, on ne peut en parler à personne.

– Parfait, dit Munson en regardant Fonseca. Je ne vais pas pouvoir rester plus longtemps, vous savez. Je ne dois pas traîner, surtout si Conrad a une voiture maintenant.

– Je me ferais pas trop de soucis pour ça à votre place, dit le docteur Carter.

– Pourquoi ?

– Il n'y a qu'une route pour entrer et sortir de B Movie Hell, elle passe sur un pont à trente mètres au-dessus du lac Flaccid. La police locale a mis en place un barrage empêchant quiconque d'entrer ou de sortir sans leur autorisation.

– C'est courageux de leur part, dit Munson. La plupart des gens n'attendraient qu'une chose, c'est que le tueur quitte la ville. C'est admirable de vouloir le garder chez eux.

– C'est une petite communauté très soudée, répondit le docteur Carter. D'après ce que je sais de la ville, ils vont vouloir trouver Joey Conrad et bricoler leur propre justice avant que vous ne mettiez la main sur lui. »

Munson digéra l'information. Une communauté qui préfère s'occuper elle-même d'un tueur en série plutôt que le laisser au gouvernement. Ça pourrait poser problème. Il devait attraper Joey Conrad avant que les locaux ne découvrent son identité.

Fonseca continua à interroger le docteur Carter.

« Vous étiez au courant pour les vidéos dans la chambre de Conrad ?

– Je savais qu'il avait des DVD, oui, mais je ne savais pas qu'il avait les films d'horreur dont vous parliez tout à l'heure.

– Comment il se procure ces films ? Qui les lui fournit ?

– Je sais pas exactement, dit Carter. C'est une de ces choses sur lesquelles on ferme les yeux. Et pour être honnête, on l'a encouragé à regarder des films parce qu'il est très impliqué dans les cours de théâtre dispensés ici. Comme beaucoup d'autres patients, en fait. »

Fonseca secoua la tête.

« Si vous fermez les yeux sur les DVD, alors comment pouvez-vous être sûre que la personne qui les fait entrer clandestinement n'a pas aussi fait entrer le masque et le couperet ?

– C'est peu probable. C'est le genre de choses qu'on aurait remarqué. »

Munson les interrompit.

« Un cours de théâtre, vous dites ? Vous faites quoi exactement ?

– Du théâtre », répondit le docteur Carter. Pendant quelques instants, Munson crut que sa réponse resterait brève et sarcastique, mais elle poursuivit. « Beaucoup de nos patients souffrent de troubles de la personnalité multiple. Joey Conrad en fait partie. Le cours de théâtre leur permet de montrer ces différentes facettes sans peur d'être jugé ou analysé.

– Génial, marmonna Munson. Un groupe de barjos dans un remake de *Vol au-dessus d'un nid de coucou*. À part ça, tout va bien.

– Quelles étaient les différentes personnalités de Conrad ? » demanda Fonseca.

Le docteur Carter inspira profondément.

« Il absorbe la personnalité des personnages qu'il voit dans les films. C'est un fan de cinéma. Il connaît beaucoup de petits détails. Il peut citer et rejouer des scènes entières de la plupart de ses films préférés.

– Il est donc tout à fait possible qu'en portant un masque et en décapitant des gens il se prenne pour un personnage d'un des films d'horreur que nous avons trouvés dans sa chambre.

– J'imagine, oui.

– Comme *Last Action Hero*, dit Munson d'un ton sec.

– Comment ? demanda Fonseca.

– *Last Action Hero.*

– Que voulez-vous dire ?

– Il n'est plus au cinéma. Il est dans le monde réel, jouant le rôle d'un personnage fictif.» Il regarda Fonseca. «Je voulais pas en parler là-haut parce que ce n'était qu'une intuition, mais ces films, *Last Action Hero* et *Galaxy Quest*, ils m'ont fait réfléchir.»

Le docteur Carter regarda Munson d'un air perplexe.

«Je ne vous suis pas.»

Fonseca comprit immédiatement.

«Je vois où vous voulez en venir.

– Pas moi», dit Carter.

Munson l'éclaira.

«Le héros de *Last Action Hero* est un personnage fictif qui sort de son film et débarque dans le monde réel. Maintenant imaginons que Joey Conrad se prenne pour le tueur d'*Halloween* par exemple, il pourrait débarquer à B Movie Hell pour terroriser et assassiner les habitants.»

Le docteur Carter n'avait pas l'air convaincue.

«Le tueur d'*Halloween*, ce n'était pas Jamie Lee Curtis qu'il essayait de tuer ?»

Munson but une gorgée de café. Il était aussi infect qu'il en avait l'air.

«Ouais, c'était sa sœur ou quelque chose du genre.»

Fonseca était sur le point de boire son propre café lorsqu'elle vit l'expression sur le visage de Munson et reposa judicieusement sa tasse.

«Vous pensez qu'il pourrait être à la recherche de quelqu'un de sa famille ? demanda-t-elle.

– Il n'a pas de famille, dit le docteur Carter. Je pensais que vous étiez au courant de ce genre de choses.

– Pas de tante perdue de vue, rien ?

– Rien du tout.

– D'accord. On peut donc exclure l'intrigue d'*Halloween*. Mais le masque pourrait quand même indiquer qu'il se prend pour le mec d'*Halloween* ou de *Massacre à la tronçonneuse*? Ou les deux.

– Les deux? demandèrent Fonseca et le docteur Carter d'une même voix.

– Eh bien, ils portaient tous les deux un masque et ils se sont certainement tous les deux servis d'un couperet à un moment ou un autre.

– Et pour Terminator? Il se servait d'un couperet ou portait un masque?» demanda Fonseca.

Munson haussa les épaules.

«Techniquement il portait un masque, mais l'important avec Terminator, c'est qu'il essayait de tuer Sarah Connor.

– Qui est Sarah Connor? demanda le docteur Carter.

– Une femme sans grande importance, si ce n'est qu'elle allait donner naissance à John Connor, le futur sauveur de l'humanité. Vous savez, comme Jésus.»

Il s'apprêtait à boire une autre gorgée de café lorsqu'il se rappela à quel point il était rance. Il revint à la raison juste avant que la tasse ne touche ses lèvres. Fonseca reprit l'interrogatoire.

«Docteur Carter, vous savez ce qu'est le massacre des innocents? demanda-t-elle.

– Bien sûr, répondit Carter en hochant la tête. C'est quand le roi Hérode a ordonné à ses hommes d'exécuter tous les garçons de Bethléem de moins de deux ans.

– Exactement, dit Munson, comme s'il connaissait cette histoire depuis plus de cinq minutes. Il essayait de tuer Jésus, le sauveur de l'humanité.»

Il remarqua le sourcil perplexe que Fonseca souleva à son intention, certainement amusée qu'il prétende soudain s'y connaître en la matière. Avant qu'il ne puisse approfondir le sujet, Justin passa la tête par la porte.

« Vous avez vu les infos ? demanda-t-il.

– Qu'est-ce que c'est cette fois ? demanda le docteur Carter.

– L'Iroquois vient de tuer trois autres personnes à l'Alaska Roadside Diner de B Movie Hell. Les flics sont après lui dans une course-poursuite. Je sens que ça va saigner. »

Munson se leva de sa chaise.

« Milena, je dois y aller.

– Qu'est-ce que vous comptez faire ?

– Je vais directement à B Movie Hell pour faire disparaître Joey Conrad avant qu'il ne soit trop tard. Appelez-moi quand vous en aurez fini ici. »

17

La première voiture de police à répondre à l'appel qui avait signalé les problèmes à l'Alaska Roadside Diner fut une Plymouth Fury noir et blanc conçue pour les courses-poursuites à grande vitesse. Elle arriva sur les lieux du crime juste à temps pour voir la voiture jaune et rouge en partir. Sans hésiter, le policier seul dans la Plymouth alluma la sirène et le gyrophare bleu et rouge, demanda des renforts par radio et enfonça l'accélérateur. Il était hors de question qu'il laisse le psychopathe masqué s'en tirer encore une fois.

Plus loin sur la route, l'Iroquois regarda dans son rétroviseur. Sous le masque hideux qui lui couvrait le visage, il esquissa un petit sourire malicieux. Ces putains de policiers de merde étaient tombés droit dans le panneau. Il pressa sa botte sur l'accélérateur de la Chevrolet jaune qu'il avait volée une heure plus tôt à Hank Jackson. Cette voiture était un tas de ferraille avec un vieux moteur déglingué sous le capot. Il le savait quand il l'avait choisie. Mais ni la taille du moteur ni sa puissance n'étaient sa priorité. Bon sang, il voulait, non il *fallait* que les flics restent à sa poursuite. S'il les distançait ou les semait, il ne pourrait pas tuer ces fils de pute.

Il n'avait qu'une voiture à sa poursuite pour l'instant. Ce n'était pas assez.

Il fallait... Oh et puis merde, il *voulait* avoir au moins trois voitures de police à sa poursuite. Ces connards de Rednecks incompétents trouveraient bien le moyen d'envoyer trois voitures de police à ses trousses. Ce n'était pas comme s'il était difficile à repérer.

L'Iroquois commençait sérieusement à perdre patience lorsqu'il les vit enfin arriver, près de cinq minutes plus tard. La première voiture lancée à sa poursuite était extrêmement pénible avec cette saloperie de sirène qui ne s'arrêtait jamais. Ce trou du cul voulait que tout le monde sache qu'il était à ses trousses avec son gyrophare bleu, mais l'Iroquois était certain que cette sale poule mouillée n'avait aucune intention de le rattraper. Pas tout seul.

Ce n'est que lorsqu'il tourna sur une autre route déserte qui menait *Dieu sait où* que les deuxième et troisième voitures firent enfin leur apparition. Il avait réglé sa radio sur la fréquence de la police et grâce aux abrutis de flics qu'il entendait beugler, l'Iroquois savait que deux autres Plymouth Fury attendaient cachées derrière un panneau publicitaire géant, prêtes à rejoindre la course-poursuite dès qu'il passerait devant.

Le tueur sanguinaire était parfaitement conscient que ces deux voitures de patrouille auraient pu former un barrage routier, certes un peu fragile, mais ils auraient pu et avaient choisi de ne pas le faire. La raison ? Ils n'avaient aucune envie de se retrouver face à lui, pas plus que le plouc qui était à ses trousses depuis le restaurant. Il avait donc les trois voitures à sa poursuite, exactement comme il l'avait prévu. Il était temps de les remettre à leur place. Aucun d'entre eux ne voulait être à la tête de la course-poursuite. Aucun d'entre eux ne voulait en découdre avec lui. Mais ils étaient probablement tous en train de prier pour qu'il envoie sa vieille Chevrolet dans le décor et se tue.

L'Iroquois n'avait plus besoin d'écouter la fréquence de la police. La bande-son de ce qui allait suivre devait être une chanson entraînante, de la bonne musique de road trip. N'importe quelle musique conviendrait, à vrai dire. Il changea de fréquence et s'arrêta sur la première chanson qu'il trouvât,

« The star-spangled banner » par Enrico Palazzo[1]. Ce n'était peut-être pas la musique la plus appropriée pour une tuerie, mais elle donnait tout de même de sérieuses envies de meurtre. Il regarda une dernière fois dans le rétroviseur. Les trois véhicules à sa poursuite le suivaient en file indienne tout en gardant leurs distances. Ce qui était parfait pour la petite surprise qu'il leur préparait.

« Matez-moi ça, bande de fils de pute », marmonna-t-il entre ses dents.

Il attrapa le frein à main et tira dessus fermement. Les roues avant se bloquèrent et sa voiture tourna dangereusement sur elle-même. Elle pivota à 180 degrés avant qu'il ne lâche le frein à main et passe la marche arrière en un seul mouvement rapide. Comme il s'y attendait, les flics paniquèrent et freinèrent brusquement. La dernière voiture faillit emboutir le coffre de celle du milieu. L'accident fut évité, mais le pauvre idiot qui était jusqu'alors à l'arrière de la file dut faire une embardée et doubler l'idiot devant lui, se retrouvant malheureusement en deuxième position pour ce qui allait arriver.

De l'avis de l'Iroquois, tout allait pour le mieux. Il leur avait montré qu'il était imprévisible et n'avait peur de rien. Il pressa l'accélérateur et fonça en marche arrière jusqu'à la route. Les flics étaient toujours à sa poursuite, quoique dans un style assez passif agressif. Il se prépara à leur offrir la surprise numéro deux.

Il baissa la vitre électrique côté conducteur et tendit la main vers le siège passager où se trouvait un sac de sport rempli de jouets en tout genre. Il en sortit son arme préférée. Un Uzi neuf millimètres. Déjà chargé et prêt à être utilisé.

Il le pointa par la vitre en direction de la première voiture de police. Elle était à environ six mètres de lui, et s'efforçait toujours de donner l'impression de ne pas réussir à le rattraper.

---

1. Extrait du film *Y a-t-il un flic pour sauver la reine ?* dans lequel Leslie Nielsen se fait passer pour un chanteur d'opéra et massacre l'hymne national américain. (*NdT.*)

Lorsqu'il pointa son arme, l'Iroquois vit l'expression du conducteur changer. Ses yeux s'écarquillèrent et son regard qui se voulait perçant et menaçant quelques instants plus tôt laissa place à une profonde stupeur.

En l'espace de quelques secondes, l'Uzi tira une nuée de balles dans sa direction. Ce n'était pas facile de viser juste, mais avec une mitrailleuse, qu'est-ce que ça changeait ? Le style était peut-être un peu extravagant mais l'important était que le boulot soit fait.

L'un des pneus avant de la première voiture explosa, le parechocs reçut aussi quelques balles, mais la majorité allèrent directement dans le pare-brise. La vitre côté conducteur prit une teinte rouge écarlate. Le chauffeur avait reçu au moins deux balles dans la tête. Avant que l'Iroquois n'ait le temps de pointer son Uzi vers la deuxième voiture, les choses commencèrent à prendre forme. Le véhicule de tête pila dans un crissement de pneus dès que le crâne du conducteur toucha le volant. Le conducteur de la deuxième voiture essaya d'éviter de l'emboutir complètement et ne parvint qu'à heurter le coin arrière de la Plymouth. Elle vola par-dessus la première et se retourna à mi-hauteur. Derrière elle, la voiture numéro trois tenta un freinage d'urgence mais dérapa et s'écrasa latéralement contre l'arrière de la première voiture. Une demi-seconde plus tard, celle du milieu atterrit à l'envers sur la route dans un fracas assourdissant. Son toit se plia vers l'intérieur comme s'il était fait de papier alu.

L'Iroquois ralentit et s'arrêta au milieu de la route. Il ouvrit la portière. Par-dessus la douce voix d'Enrico Palazzo chantant « l'éclat rouge des fusées » il entendit les râles d'agonie des policiers et le murmure lointain de leur radio. Une voix leur demandait si tout allait bien.

Le tueur sortit de la voiture, son Uzi amorcé et prêt à tirer. Le véhicule le plus proche était sur le côté. Le conducteur était déjà mort. Quelques mètres plus loin se trouvait la deuxième voiture, celle qui s'était retournée sur le toit. Ses roues continuaient à tourner dans le vide. C'était celle dont la radio fonctionnait toujours. Une voix de femme demandait des détails sur leur situation actuelle. L'Iroquois ouvrit le feu tout en s'approchant de la voiture, criblant de balles sa carcasse défoncée. Aucun risque qu'il y ait des survivants dans celle-là. Même la radio se tut soudainement. Il cessa le feu et porta son attention sur la troisième voiture. Elle était toujours sur ses quatre roues mais le capot était enfoncé. Elle avait perdu la moitié de sa longueur en s'écrasant contre le coffre de la voiture devant elle. À l'intérieur, deux flics étaient voûtés sur leur siège, le visage ensanglanté. Ils étaient tous les deux inconscients mais l'Iroquois ne voulait prendre aucun risque. Il pointa l'Uzi vers eux et ouvrit le feu de plus belle. Les corps des deux flics s'agitèrent dans tous les sens, comme s'ils étaient en pleine démonstration de break dance. Ces enculés étaient bien morts maintenant. Aucun doute.

Lorsque l'Uzi déchaîné commença à lui brûler la main, l'Iroquois relâcha la détente et arrêta de tirer. Il regarda autour de lui et écouta attentivement les bruits en provenance de la route. Quelqu'un était toujours en vie. Quelque part. Un fils de pute était en train de bouger.

Il remarqua que, de l'autre côté de la dernière voiture, la portière arrière était ouverte. Il la contourna à grandes enjambées, son Uzi en l'air, cherchant la trace d'un survivant. Il ne mit pas longtemps à en trouver un.

Un homme chauve et ventripotent rampait sur l'étendue désertique qui longeait la route, laissant une traînée de sang derrière lui, à quatre pattes et le cul à l'air. Son large jean bleu lui tombait sous les fesses, emportant son caleçon avec lui. Son marcel blanc était couvert de poussière et de traces de sang. Il avait de toute évidence été gravement blessé dans le carambolage et n'était pas en état de marcher ou de courir pour quitter les lieux. Il regarda derrière lui et vit le tueur masqué, Uzi à la main, armé et prêt à tirer. L'homme gémit mais ne prononça pas un mot. Il reprit sa vaine tentative de ramper à travers le désert, espérant peut-être être épargné.

Il ne cessa de ramper que lorsque l'ombre froide et sombre de l'Iroquois fut au-dessus de lui, le protégeant du soleil brûlant.

L'homme roula sur le dos. C'était un déchet pathétique et répugnant. Un semblant d'être humain. Sa vie, qui ne se résumait sans doute qu'à picoler, manger des cochonneries et regarder des programmes télévisés de merde, ne valait pas un clou. Il leva une main pour se protéger les yeux d'un rayon de soleil qui brillait par-dessus l'épaule de l'Iroquois.

« Je vous en prie, supplia-t-il, je suis pas flic. »

Le tueur leva son Uzi et le pointa en direction de l'homme.

« Qu'est-ce que t'es, alors ?

– Je suis pas flic, répéta l'homme. Je suis personne. J'étais là pour accompagner. Je suis juste un gars du coin.

– Du coin ?

– Ouais.

– Mauvaise réponse. »

L'Iroquois n'avait pas besoin d'en entendre plus. Il pointa son arme contre la tête de l'homme et lui perfora le crâne de plusieurs balles. Son sang et sa cervelle giclèrent sur la route.

18

Bébé sentit une main écarter une mèche de son front. Ses cheveux étaient humides et moites, ses sourcils collants de sueur. Elle ouvrit les yeux et vit deux hommes penchés sur elle. Elle était allongée sur un canapé. Les traits des hommes étaient flous. Elle cligna plusieurs fois des yeux et essaya de les frotter. C'est à ce moment-là qu'elle se souvint qu'elle avait reçu une balle dans le bras droit. Elle grimaça de douleur lorsqu'un picotement aigu lui rappela que la blessure était toujours bien présente.

« Tout va bien, Bébé, vous êtes en sécurité maintenant », dit l'un des deux hommes.

Elle se servit de sa main gauche pour se frotter les yeux et se pincer l'arête du nez. Sa vision s'éclaircit et elle remarqua que sa main ensanglantée avait été nettoyée. Elle se concentra sur l'un des deux hommes. C'était Litgo, l'étrange individu en costume de Superman qui l'avait accueillie chez lui.

« J'ai dormi combien de temps ? demanda-t-elle.

– Environ une demi-heure », répondit Litgo.

Elle tordit le cou pour mieux voir l'autre homme, dont les traits étaient encore flous. Il avait des cheveux châtains ébouriffés qui lui tombaient devant les yeux car il était penché en avant. Elle le reconnut très vite. C'était Benny Stansfield, un vieux flic qui fréquentait régulièrement le Minou Joyeux. Il lui sourit.

«Ça va aller, Bébé», dit Benny. Sa voix était calme et rassurante, un trait de caractère qu'elle avait remarqué chez lui lors de leurs précédentes rencontres.

«Je crois qu'on m'a tiré dessus, dit-elle.

– Oui, en effet. Mais il ne faut pas paniquer. Tu as eu beaucoup de chance car la balle n'a fait qu'érafler ton bras. Elle l'a traversé donc il n'y a pas d'éclats ou de débris qui pourraient causer une infection.

– Waouh, quelle chance en effet», dit Bébé avec une pointe de sarcasme, indignée que l'on puisse penser qu'elle avait eu de la chance.

Benny sourit.

«Du calme, ma grande, dit-il. Tu as eu une matinée difficile. Mais je te promets que tu es en sécurité maintenant. Tu n'as aucun souci à te faire.»

Elle regarda de nouveau Litgo. Son sourire était toujours un peu perturbant à cause de la dent manquante. Pour la première fois, elle remarqua quelque chose qu'elle n'avait pas remarqué avant. Il avait une paire de faux seins sous son costume de Superman. Enfin, elle supposa qu'ils étaient faux. Soit ils étaient faux, soit il était en plein traitement pour changer de sexe. Elle se souvint qu'il lui avait dit être Supergirl un peu plus tôt. Tout s'expliquait. Il arborait un déguisement de Supergirl, pas de Superman. C'est pour ça qu'il portait un short par-dessus ses collants bleus à la place d'un slip rouge moulant. Quel cinglé.

Benny était moins intimidant. Elle se souvint d'avoir couché avec lui au Minou Joyeux quelques mois plus tôt. C'était un client plutôt agréable et prévenant.

«Vous avez attrapé le tueur masqué ? demanda-t-elle.

– On a lancé plusieurs hommes à la poursuite de ce taré, répondit Benny avec un sourire rassurant. Il n'ira pas loin. Il s'est bien amusé à terroriser la ville mais son petit cirque est bientôt terminé.

– Tant mieux.»

Bébé déplia les jambes et se redressa.

« J'ai eu l'impression qu'il en avait après moi. Il me dévisageait au restaurant juste avant de se mettre à tuer des gens.

– C'est intéressant, dit Benny. Je me demandais justement si par hasard tu le connaissais ? Il a tué ton ami Arnold, et d'après ce qu'on m'a dit, Arnold a été la première victime du restaurant. Tu sais pourquoi il a fait ça ? Est-ce que toi ou Arnold vous avez fait quelque chose pour l'énerver ?

– Non. Il s'est juste dirigé vers Arnold avec un couperet et l'a attaqué.

– Donc il était déjà dans le restaurant quand vous êtes arrivés ?

– Oui. Il était assis près du juke-box. Comme j'ai dit, il m'a fixée des yeux. Je me suis tournée, et c'est à ce moment-là qu'il a enfilé le masque et s'est dirigé vers nous.

– Tu l'as vu sans son masque ?

– Hmm hmm, fit Bébé en hochant la tête.

– Tu pourrais me le décrire ?

– C'est juste un type normal, brun, avec un regard qui fiche la trouille.

– C'est très bien, Bébé. On te montrera quelques photos au poste de police pour voir si tu peux l'identifier, si tu te sens capable ?

– Je me sens un peu mieux, oui, dit Bébé. Mais mon bras est lourd et tout engourdi.

– Vous voyez, dit Litgo en souriant. Ce thé sucré que je vous ai donné vous a requinquée. Et j'ai mis un joli bandage autour de votre bras pour arrêter le saignement. »

Bébé regarda son bras. Sa manche droite avait été déchirée juste en dessous de l'épaule. Mais, effectivement, la blessure était bien enveloppée dans un bandage blanc, même si un filet de sang s'en était échappé. Elle se souvint d'avoir trouvé Litgo un peu inquiétant au début, en particulier quand, juste avant qu'elle ne s'évanouisse, il l'avait appelée par son nom.

« Comment connaissiez-vous mon nom ? » lui demanda-t-elle une seconde fois.

Litgo regarda Benny avant de répondre.

« J'ai reçu un appel des gens qui travaillent à l'Alaska. Ils ont dit que vous vous dirigiez vers chez moi.

– Et comment ils savaient mon nom, eux ? »

Benny lui prit la main.

« Quelqu'un t'a reconnue, dit-il. Tu as de la chance qu'autant de gens en ville s'inquiètent pour toi. Tu es une jeune fille très populaire. Viens, essaie de te lever. Ensuite on pourra te sortir de là. »

Bébé se leva lentement. Ses jambes, en particulier ses genoux, étaient courbaturées d'avoir trop couru. Elle n'avait pas l'habitude de ce genre d'exercice.

« Où est-ce qu'on va ? demanda-t-elle.

– Je te ramène au Minou Joyeux, dit Benny.

– On devrait pas aller au commissariat avant ? Ou à l'hôpital ?

– Bien sûr. On ira où tu voudras. Viens, ma voiture est juste devant. Mais on doit faire vite.

– Pourquoi ?

– Parce que je le dis. »

19

Depuis que Jack Munson était parti précipitamment pour B Movie Hell, Milena Fonseca et le docteur Carter étaient restées dans la salle de repos de l'hôpital, à regarder les informations sur le téléviseur portable. Le dernier flash info était encore plus alarmant que le précédent. Les choses semblaient empirer de seconde en seconde à B Movie Hell. D'autres policiers étaient morts, tués par l'Iroquois lors d'une course-poursuite. Et un autre civil, un pauvre diable qui ne faisait qu'accompagner les flics, avait également été tué. Trois voitures de police étaient bonnes pour la casse. Mais c'était surtout la manière dont ces gens avaient été tués qui inquiétait Fonseca.

« Où est-ce qu'il a trouvé un flingue, bon sang ? demanda-t-elle à voix haute, même si la question était destinée à elle-même plus qu'au docteur Carter. D'après ce qu'ils disent, il avait une *mitrailleuse*. Où est-ce qu'on peut trouver une arme automatique par ici ? »

Le docteur Carter ne répondit pas à la question.

« Vous ne buvez pas votre café, dit-elle en montrant d'un signe de tête la tasse rouge pleine de merde qui refroidissait rapidement en face de Fonseca.

– Il est un peu trop fort à mon goût, répondit Fonseca. Vous avez une idée de l'endroit où il aurait pu trouver une arme dans le coin ? Je veux dire, il s'est échappé hier, n'est-ce pas ? Et il a déjà un masque, un couperet et une arme à feu très puissante. Pourtant, aucun vol n'a été signalé. La voiture qu'il a volée a été signalée quelques minutes plus tard car il venait de tuer le vendeur. Mais le flingue, les vêtements, le masque et le couperet, rien. Pas un mot. Où les a-t-il trouvés ?

– Vous avez lu son dossier ? demanda le docteur Carter.

– Dans les moindres détails.

– Alors vous ne devriez pas être surprise de voir à quel point il est ingénieux. Quand ils l'ont amené ici, il était évident qu'il avait été parfaitement entraîné dans le domaine militaire. Il est extrêmement intelligent, motivé, et plein de ressources, mais il est aussi complètement déconnecté de la réalité. Son dossier offre beaucoup de réponses, d'après moi.

– Son dossier ne dit pas comment il s'est procuré une mitrailleuse. »

Le docteur Carter haussa les épaules.

« Il l'a peut-être trouvée en volant la voiture.

– C'est peu probable, vous ne croyez pas ?

– Je ne sais pas. Mais ce que je sais, c'est que votre agence l'a entraîné pour qu'il devienne un mélange de James Bond, Jason Bourne, Rambo, Freddy Krueger et Dieu sait qui encore. Il peut s'adapter à n'importe quelle situation. Il était censé être le soldat ultime. Un homme capable de pratiquer le kung-fu, travailler sous couverture, infiltrer une forteresse ennemie, piloter un avion de chasse et se déguiser en n'importe qui, un barman ou une catcheuse. Et j'imagine qu'ils lui ont aussi appris à se procurer une arme en un rien de temps. C'est vous qui l'avez entraîné, alors arrêtez de me demander comment il s'est procuré tout ça. Vous devriez le savoir mieux que moi. »

Fonseca se pencha en arrière et leva les mains, sur la défensive.

« Waouh, on se calme. Ces absurdités ont eu lieu bien avant mon arrivée.

– Bien sûr. Mais vous devriez quand même en savoir plus que moi.

– En théorie oui, mais quelqu'un semble avoir dissimulé pas mal de choses. Vous en savez beaucoup plus sur Joey Conrad que moi.

– C'est bien possible, agent Fonseca. Mais je suis incapable de vous dire comment il a réussi à se procurer une arme ou apprendre le kung-fu. Si vous voulez en savoir plus sur sa condition mentale et son comportement ici, alors *oui*, je peux vous aider.

– Le kung-fu, dit Fonseca en jetant un œil aux informations sur le téléviseur portable. Vous voulez dire que vous l'avez vu faire du kung-fu ?

– Non. Mais je suis sûre qu'il aurait pu.

– Il a déjà été violent ici ?

– Étonnamment, non. Enfin, juste une fois.

– Que s'est-il passé ?

– Il y a quelques semaines, il a tabassé un autre patient.

– Une raison particulière ?

– Ni l'un ni l'autre ne voulait en parler.

– Une idée de ce qui a pu déclencher la bagarre ?

– Non. D'ailleurs, je n'en ai pas fait grand cas à l'époque. Mais maintenant que Conrad s'est échappé, je crois que je peux deviner ce qui s'est passé.

– Vraiment ?

– Le type qu'il a tabassé s'appelle Dominic Touretto. Il y a quelques mois, Touretto s'est échappé. Il était en cavale depuis environ une semaine lorsqu'on l'a récupéré. C'est les flics de B Movie Hell qui l'ont trouvé. Enfin, tout ça pour dire qu'il est fort possible que Conrad ait voulu savoir comment Touretto avait réussi à s'échapper pour faire la même chose. Peut-être qu'il essayait de le forcer à lui donner les informations.

– Et comment Touretto s'est-il échappé ?

– On n'en sait toujours rien. On pense qu'il a simplement escaladé le mur, mais nous ne sommes pas sûrs. Personne ne s'est échappé d'ici pendant des années. Et aujourd'hui, on se retrouve avec deux évadés en deux mois. Pas très reluisant, hein ? »

Fonseca sentit qu'elle arrivait enfin à quelque chose.

« Pourquoi ne l'ai-je pas su plus tôt ? demanda-t-elle.

– Comment auriez-vous pu savoir ?

– Une minute. » Fonseca plongea la main dans sa poche et en sortit son téléphone portable. Elle accéda aux informations confidentielles qu'elle avait sur tous les patients de Grimwald.

« Il n'y a rien à ce sujet dans le dossier de Touretto, dit-elle en posant un regard suspect sur le docteur Carter.

– Sur son évasion ?

– Non, sur son altercation avec Joey Conrad. »

Le docteur Carter eut l'air offensée.

« Eh bien, ce n'était pas une altercation qui méritait d'être mentionnée dans son dossier. C'est le genre d'incident que l'on règle avec une poignée de main. On ne peut pas rédiger de document officiel chaque fois qu'une bagarre éclate ici. On a déjà trop à faire. »

Fonseca observa l'état de la salle de repos et supposa qu'ils avaient en effet beaucoup à faire.

« Donc vous pensez que Conrad voulait savoir comment Touretto s'était enfui afin de planifier sa propre évasion ?

– Comme je vous l'ai dit, je n'y ai pas pensé à l'époque, mais ça me paraît évident aujourd'hui.

– Oui, en effet. Pouvez-vous m'emmener voir Touretto, je vous prie ?

– Je peux, mais soyez prudente, il est complètement imprévisible.

– Dans quel sens ?

– Dans tous les sens. »

20

Munson était impatient d'arriver à B Movie Hell. Il ne lui avait pas fallu beaucoup de temps pour se débarrasser de Milena Fonseca. Quelle que soit la nature de la mission que Devon Pincent voulait qu'il accomplisse à B Movie Hell, il savait qu'il valait mieux que ce soit fait sans que Fonseca en soit témoin. Ça éviterait qu'elle envoie un rapport détaillé au QG. Il en avait assez de faire l'imbécile et d'envoyer des vannes stupides pour donner l'impression à Fonseca qu'il n'était pas un agent compétent. Et il en avait fait des tonnes sur le lien potentiel entre Joey Conrad et les films dans l'espoir qu'elle reste encore un peu à l'hôpital pour approfondir cette théorie. Il avait gagné un peu de temps. Il espérait que ce soit assez.

La route était déserte, alors Munson en profita pour appeler Pincent de son téléphone portable. Il attendit péniblement que le standardiste du QG le transfère sur le poste de Pincent avant de finalement entendre sa voix à l'autre bout de la ligne.

« Devon Pincent, en quoi puis-je vous aider ?

– Devon, c'est Jack. Je suis en route vers B Movie Hell, seul. Qu'est-ce qui se passe ? »

Pincent observa une courte pause avant de répondre, à voix basse, presque dans un murmure.

« Désolé, Jack, mais si c'est un appel personnel, il faut que tu me contactes à la maison. J'y allais justement. Pourquoi tu ne m'appelles pas là-bas d'ici une heure ?

– Chez toi ?

– Oui. Tu as mon numéro, non ?

– Heu, oui.

– Parfait. Salut. »

Pincent raccrocha.

Charmant.

Munson balança son portable sur le siège passager. C'était quoi ce bordel, putain ? Dans tous les cas, c'était assez sérieux et secret pour que Pincent ne puisse pas en parler sur sa ligne professionnelle.

Il aperçut au loin le pont qui menait à B Movie Hell. Pour un trou paumé pareil, c'était un pont assez monstrueux, qui s'élevait à une quinzaine de mètres au-dessus d'un lac immense. Une voiture de police était garée en travers, empêchant Munson de passer. Un policier était assis derrière le volant tandis qu'un autre agent à l'extérieur de la voiture ajustait le nombre d'habitants en bas d'un panneau de signalisation.

BIENVENUE À B MOVIE HELL

POPULATION 366_

Munson s'arrêta juste avant le pont. L'officier qui était en train d'ajuster le nombre d'habitants interrompit ce qu'il était en train de faire. Il se dirigea vers la voiture de Munson, en levant une main pour lui indiquer de ne pas bouger.

Munson baissa sa vitre et tendit son badge du FBI.

« Bonjour, Jack Munson, FBI. Vous devez être au courant de ma venue. »

L'officier s'approcha de la fenêtre et jeta un œil au badge de Munson.

« D'accord, attendez ici une seconde », dit-il.

Il retourna à la voiture de police qui bloquait l'entrée et parla à l'agent assis derrière le volant. À la fin d'une courte discussion, les deux policiers jaugèrent Munson d'un regard méfiant. Le conducteur recula ensuite de quelques mètres pour lui laisser la voie libre et lui fit signe de passer. Munson ne traîna pas. Il leva une main en signe de remerciement et traversa le pont.

Après avoir quitté le pont, il parcourut une dizaine de kilomètres sur la route principale avant de voir l'Alaska Roadside Diner. Deux voitures de police étaient garées devant. Il quitta la route et gara sa Mercedes à côté de l'un des deux véhicules, face à la grande fenêtre de la devanture du restaurant. Il avait ainsi une vue parfaite sur ce qui se passait à l'intérieur. Trois flics se tenaient près du comptoir et discutaient avec une blonde plantureuse vêtue d'un tablier de serveuse rose. Munson coupa le moteur et plongea la main dans la poche de sa veste. Ses doigts s'arrêtèrent sur la bouteille de rhum qu'il y avait cachée. Il la sortit et en but une gorgée. C'était délicieux. Il savoura le goût pendant quelques instants avant de remettre la bouteille dans sa poche, soupira bruyamment et sortit de la voiture. Il entendit au loin des sirènes de police hurler. Quelque part dans la ville, Joey Conrad était toujours en train de faire des ravages.

Il passa devant les fenêtres du restaurant et s'arrêta à l'entrée, revigoré par la saveur du rhum. Lorsque les trois flics et la serveuse le repérèrent, ils interrompirent immédiatement leur discussion et se tournèrent vers lui. Ils étaient tellement absorbés par ce qu'ils disaient qu'ils n'avaient pas vu sa voiture arriver.

Munson poussa la porte et entra d'une démarche assurée.

«Bonjour à tous!» lança-t-il d'un ton bourru.

Le plus âgé des trois policiers se dirigea vers lui, visiblement pour l'empêcher de marcher sur leur scène de crime. C'était un homme d'une cinquantaine d'années avec pas mal de kilos en trop, un mangeur de donuts affublé d'un Stetson bleu trop grand pour lui. Un des policiers plus jeunes le suivit d'un pas traînant, en regardant par-dessus son épaule.

«Vous êtes le type du FBI?» demanda l'officier plus âgé.

Munson sortit son badge et le lui tendit.

«Jack Munson, pour vous servir», dit-il avec un sourire forcé.

Le policier examina le badge de plus près. Munson lui laissa moins de deux secondes avant de le glisser dans la poche de sa veste.

« Est-ce que l'un de vous pourrait me mettre au courant de ce qui se passe ici, je vous prie ? » demanda-t-il, en contournant les deux officiers qui bloquaient son passage vers le troisième policier et la serveuse. Il s'accouda au comptoir et croisa les jambes. Il espérait que son attitude nonchalante les mettrait mal à l'aise.

Le flic resté au comptoir avait entre vingt et trente ans et des cheveux blonds qui lui tombaient jusqu'aux épaules. Il lui indiqua le flic plus âgé que Munson venait de contourner.

« Randall est l'officier en charge ici, et c'est le seul qui a vu le tueur en chair et en os. Vous devriez lui poser la question. »

Munson se tourna et vit que le policier grassouillet au Stetson l'avait suivi jusqu'au comptoir et se tenait maintenant très près de lui. Assez pour sentir les effluves de rhum dans son haleine.

« C'est vrai ? Vous avez vu le tueur ? demanda Munson en essayant de ne pas expirer trop d'air.

– J'étais là quand il a débarqué hier, dit Randall. Il a décapité mon coéquipier avec un couperet. »

Munson tendit la main.

« Alors vous devez être Randall Buckwater, dit-il. J'ai lu le rapport. Vous étiez vraiment en train de chanter "On the wings of love" quand vous avez quitté la scène de crime ? »

Randall ferma les yeux.

« Merde. Ils ont vraiment mis ça dans le rapport ?

– Je le crains.

– Je savais bien que je n'aurais pas dû en parler. »

Munson avait fait de Randall exactement ce qu'il voulait. Le policier était tellement embarrassé qu'il donnait l'impression d'être en train de se passer à tabac intérieurement pour l'incident de la chanson. C'était le moment parfait pour commencer à poser des questions gênantes. Munson avait déjà remarqué une traînée de sang allant d'un tabouret renversé près du comptoir jusqu'aux toilettes pour hommes.

« Est-ce que quelqu'un a été traîné jusqu'aux toilettes ? demanda-t-il.

– Heu, ouais, répondit Randall. Mais les corps sont déjà à la morgue. » Il fit un signe de tête aux deux autres policiers. « Vous devriez y aller, les gars. Il faudrait commencer à prévenir les familles des victimes avant que la presse ne révèle leur identité à la télévision.

– Oui, monsieur. »

Randall était clairement l'officier en charge. Les deux autres échangèrent quelques marmonnements en se dirigeant vers une des voitures garées devant le restaurant. Munson n'avait plus que Randall et la serveuse à interroger. Cette dernière semblait bien secouée.

« Dommage que je ne sois pas arrivé plus tôt, dit Munson. Est-ce que l'un de vous pourrait me résumer ce qui s'est passé ?

– Je vous présente Candy, dit Randall en désignant la serveuse qui se tenait toujours derrière le comptoir. Elle est sortie de la cuisine et a vu l'Iroquois trancher la main de la première victime avec un couperet. Puis il a découpé deux autres types qui essayaient de le maîtriser.

– J'ai juste vu ce qu'il a fait à Arnold, dit Candy. Après j'ai couru me cacher dans la cuisine.

– Oui, dit Randall, qui semblait désireux de raconter lui-même ce qui s'était passé. C'est à ce moment-là que tout le monde est parti en courant. Traces de pneu et Termite ont été tués juste là, au niveau de la mare de sang. » Il désigna une flaque de sang sur le sol. « On a trouvé le corps d'Arnold dans les toilettes. Sa tête avait été tranchée, et aussi ses doigts, ce qui colle avec ce que Candy a vu. Beaucoup de sang partout, comme on pouvait s'y attendre.

– Traces de pneu et Termite ?

– Ouais.

– Et leur vrai nom ?

– Traces de pneu Armstrong et Termite Smith.

– Ah, dit Munson avant de se tourner vers Candy. Une idée de la raison pour laquelle il a emmené cet Arnold dans les toilettes ?

– Aucune, répondit Randall.

– Ce n'est pas à vous que je posais la question, dit Munson en désignant Candy avant de reposer la question. Une idée de la raison pour laquelle il a emmené Arnold dans les toilettes ? »

Elle fit signe que non.

« Elle est en état de choc, vous savez, dit Randall. Lâchez-la un peu. »

Munson ignora l'intervention du policier.

« Avez-vous vu le tueur quitter les toilettes ? » demanda-t-il à Candy.

Munson commença à être sérieusement énervé lorsque Randall répondit encore une fois à sa place.

« Dès que le tueur a entendu les premiers policiers arriver sur place, il est parti dans une voiture volée. Deux ou trois voitures de police l'ont immédiatement pris en chasse.

– Ouais. Et ils sont déjà morts. Je viens de l'entendre à la radio.

– Il y en a trois ou quatre autres qui sont à sa recherche en ce moment même. »

Munson ignora Randall et se pencha sur le comptoir pour essayer d'empiéter sur l'espace vital de Candy. Elle était la plus à même de laisser échapper quelque chose qui pourrait lui être utile. Les flics semblaient beaucoup trop sur leurs gardes.

« Candy. Que pouvez-vous me dire au sujet des victimes ? Vous les connaissiez, n'est-ce pas ?

– Traces de pneu et Termite travaillent au garage local, ils sont mécaniciens. Ils viennent toujours déjeuner ici.

– *Étaient* mécaniciens.

– Hein ?

– Ils étaient mécaniciens, dit Munson, facétieux. Et celui qu'il a traîné dans les toilettes ? C'était qui ? »

Randall interrompit une nouvelle fois la conversation.

« Il s'appelait Arnold Bailey. Un type du coin assez connu.

– Connu ? Comment ça ?

– C'était l'homme à tout faire chez Mellencamp.

– Mellencamp ?

– Le Minou Joyeux.

– Le bordel ?

– Le Club pour Gentlemen.

– Bien sûr, dit Munson en se tournant de nouveau vers Candy. Et est-ce qu'Arnold, l'homme à tout faire du Club pour Gentlemen, a fait quoi que ce soit qui aurait pu provoquer le tueur ?

– Rien du tout, dit Candy. C'était complètement injustifié.

– Hmm hmm. Arnold était-il seul ?

– Oui », répondit Candy en hochant la tête.

Munson examina une nouvelle fois le sol et le nombre d'assiettes, tasses et verres sales éparpillés sur les tables et le comptoir. Il y avait apparemment eu pas mal de clients avant que le massacre ne commence.

« D'accord. Donc tous les autres se sont enfuis. Et l'Iroquois a découpé Arnold dans les toilettes. Et ensuite ? Vous dites qu'il a fui en entendant les sirènes. Il est juste sorti et monté dans sa voiture ? Il n'a rien fait d'autre ?

– Il est allé directement à sa voiture », dit Candy.

Munson observa le parking. C'est à ce moment-là que quelque chose attira son attention. Les deux flics qui venaient de quitter le restaurant étaient partis dans la voiture de police garée à côté de la sienne. Mais plutôt que de prendre la direction de la ville, ils essayaient de traverser un champ broussailleux de l'autre côté de la route.

« Qu'est-ce qu'ils foutent, putain ? » demanda-t-il.

Randall haussa les épaules.

« Ça doit être Cam qui conduit. Il a pas le sens de l'orientation. »

Derrière Randall, la porte des toilettes pour hommes s'ouvrit et un autre policier en sortit. Le bruit de la chasse d'eau filtra à travers la porte. Le policier avait une vingtaine d'années et des cheveux bruns graisseux. Il était en train de s'éponger les sourcils avec un mouchoir lorsqu'il vit les autres observer à travers la fenêtre la voiture de police qui roulait à travers le champ.

« Ils vont chercher la fille ? » demanda-t-il.

Munson aperçut le regard noir que Randall et Candy lancèrent au jeune policier.

« Quelle fille ? » s'enquit-il.

Le policier le fixa, l'air surpris, comme s'il venait tout juste de remarquer sa présence.

« C'est qui, lui ? demanda-t-il.

– Agent Jack Munson, FBI. Quelle fille ? »

21

L itgo était seul dans le salon, confortablement assis dans son fauteuil préféré. Il attrapa le téléphone posé sur la table basse à côté de lui et composa le numéro du Minou Joyeux. Son cœur battait à tout rompre et les paumes de ses mains étaient moites. Il était tendu et nerveux, comme un lycéen avant son premier rendez-vous galant. En entendant la tonalité, il se souvint du jour où, adolescent, il avait décroché le téléphone pour demander à Clarisse Foster de sortir avec lui. Ce fut l'expérience la plus traumatisante de sa vie. Il trembla en se remémorant l'horrible refus et les moqueries qui suivirent à l'école. Il n'avait jamais demandé à une femme de sortir avec lui par téléphone depuis, mais il n'avait pas oublié la sensation de mains moites et l'envie de raccrocher avant qu'il ne soit trop tard.

« Minou Joyeux bonjour, dit une voix de femme à l'autre bout de la ligne.

– Bonjour, pourrais-je parler à M. Mellencamp, je vous prie ?

– De la part de qui ?

– Je m'appelle Litgo.

– Litgo ? Litgo Montenari du cottage dans le champ de Dyersville ?

– Exact.

– Salut, Litgo. C'est Clarisse. Tu te souviens de moi ? On est allés à l'école ensemble.

– Clarisse Foster ?

– Oui. Tu te souviens quand tu m'as téléphoné pour me demander de sortir avec toi ? »

Litgo sentit ses fesses se contracter. Toutes ses vieilles angoisses adolescentes refirent surface.

« Non, répondit-il sur la défensive, tout en tripotant sa longue cape rouge.

– Vraiment ?

– Pourrais-je parler à M. Mellencamp, s'il te plaît ?

– Pourquoi tu ne viens jamais au Minou Joyeux ? demanda Clarisse. Ça te plairait. Il y a un grand choix de filles. Tu es toujours célibataire ?

– Heu, oui.

– Et tu te travestis toujours ?

– Je dois parler à M. Mellencamp. C'est important.

– On a beaucoup de costumes ici que tu pourrais essayer. Tu devrais vraiment faire un saut un de ces jours.

– Oui, ça a l'air très sympa, mais je dois vraiment parler à M. Mellencamp.

– D'accord. C'est à quel sujet ? Il est très occupé.

– J'ai trouvé Bébé, la fille qui a disparu ce matin après le massacre à l'Alaska.

– Waouh, vraiment ? Elle va bien ?

– Oui. Elle va bien. Enfin, elle a reçu une balle dans le bras, mais je lui ai fait un bandage et je pense que ça va aller.

– Waouh. Tant mieux, Litgo. M. Mellencamp sera ravi d'apprendre la nouvelle. On était tous très inquiets en apprenant qu'Arnold avait été tué. On a eu peur que Bébé aussi ne soit morte.

– Non, elle va bien. Benny Stansfield est en chemin pour vous la ramener.

– C'est génial. Je te transfère pour que tu puisses annoncer toi-même la nouvelle à M. Mellencamp.

– Merci. »

Litgo attendit nerveusement d'être transféré sur le poste de Mellencamp et prit une grande inspiration, espérant de tout son cœur ne pas balbutier quand il l'aurait enfin au bout du fil. Ses paumes transpiraient abondamment maintenant (et ses fesses commençaient à chauffer). Entendre la voix de Clarisse Foster, son amour d'adolescence, après toutes ces années passées à l'éviter, l'avait rendu encore plus nerveux. Cela dit, la conversation s'était plutôt bien passée finalement. Elle lui avait même proposé de passer au Minou Joyeux, un lieu encore inconnu pour lui. Il était certainement le seul gars de la ville qui n'y était jamais allé, mais maintenant qu'il savait que Clarisse y travaillait, il envisageait sérieusement d'y remédier. Mais il était surpris qu'elle sache qu'il se travestissait. Il aimait porter des vêtements de femme depuis l'adolescence. En vérité, il avait probablement commencé peu après avoir été rejeté par Clarisse.

La voix de Silvio Mellencamp interrompit soudain ses divagations sentimentales.

« Salut, Litgo, comment ça va ?

– Heu, ça va, merci. Et vous, monsieur Mellencamp ?

– J'ai connu mieux. Il y a un putain de tueur en série en ville qui découpe des gens et ça me donne des démangeaisons au trou du cul. Tout le monde me demande ma putain d'opinion sur le sujet et je suis même pas encore sorti de ma robe de chambre, bordel.

– Oh.

– Je sais même pas pourquoi je te raconte ça, dit Mellencamp, en comprenant qu'il fulminait dans le vide. Enfin, Clarisse m'a dit que tu avais de bonnes nouvelles pour moi. Quelles sont-elles ?

– J'ai trouvé Bébé.

– Vraiment ?

– Oui. Elle venait de recevoir une balle dans le bras. Je l'ai soignée et j'ai appelé Benny Stansfield pour qu'il vienne la chercher. Il est en chemin pour vous la ramener en ce moment même.

– Excellente nouvelle ! Donc j'imagine que si tu m'appelles pour me le dire, c'est parce que tu voudrais bien une petite récompense ?

– Oh non, répondit Litgo sur la défensive. Je voulais juste vous le dire. J'ai pensé que vous étiez peut-être inquiet pour Bébé.

– Ma foi, tu n'as pas tort. J'étais en effet très inquiet, et je suis maintenant soulagé grâce à toi, Litgo, je te dois une fière chandelle. Qu'est-ce qui te ferait plaisir ?

– Oh rien, vraiment.

– C'est ça, oui ! s'esclaffa Mellencamp. Je te connais, Litgo. Tu es un bon gars mais tu n'as pas de copine et tu n'es jamais venu au Minou Joyeux, ce qui est fort dommage puisqu'on aime beaucoup les gens qui se travestissent ici. Ça te plairait.

– Hmm, c'est que j'étais pas mal occupé.

– Ha, ha, ha ! N'importe quoi. Écoute-moi. Tu peux venir n'importe quel soir de la semaine pour une nuit entière et coucher avec autant de filles que tu veux. Le tout gratuitement. Alors, ça te dit ? »

Litgo sentit ses yeux s'écarquiller et sa mâchoire tomber.

« Sérieusement ?

– Oh que oui. En vérité, tu sais quoi, tu peux même apporter ton déguisement de Wonder Woman et de Supergirl si tu veux. Je dirai aux filles de se déguiser en Iron Man ou Thor, des trucs du genre. Et Judy ferait un Hulk magnifique. Ce sera le plus beau moment de ta vie et je te garantis qu'après ça tu passeras tout ton temps ici.

– Est-ce que je pourrais passer la nuit avec Clarisse Foster ? demanda-t-il en déglutissant.

– Si tu veux, dit Mellencamp d'un air surpris. Mais il y a plein de filles beaucoup plus jeunes, tu sais. Bébé par exemple. Elle te doit bien une petite pipe pour te remercier d'avoir soigné sa blessure au bras.

– Je crois que je préférerais essayer Clarisse d'abord.

– D'accord, comme tu veux. Pourquoi tu viens pas ce soir ? On fait une soirée déguisée. Tu vas adorer.

– D'accord. Merci, monsieur Mellencamp.

– Appelle-moi Silvio. Salut. »

Mellencamp raccrocha avant que Litgo n'ait le temps de dire au revoir à son tour. Il reposa le combiné et inspira profondément. Cette journée s'annonçait vraiment très bien. Il allait peut-être enfin conclure avec Clarisse Foster et concrétiser le rêve de toute une vie. À cette seule pensée, il sentit son sexe se dresser. La bosse sous son short n'était pas du meilleur goût sur Supergirl, mais bon, personne ne regardait. Il méritait bien un verre pour fêter ça.

Il se leva et se dirigea vers la cuisine pour sortir une bouteille de son cidre préféré. Dans son frigo, il avait une pile de *Randy Panda*. Il en sortit une et arracha le bouchon avec ses dents. Au-dessus du frigo se trouvait une petite radio qui ne servait normalement que lorsqu'il faisait la vaisselle. Mais c'était un moment spécial. Il l'alluma et se sourit à lui-même. C'était un grand jour pour lui, et ce serait pas mal d'entendre une chanson qui lui rappellerait ce moment chaque fois qu'il l'entendrait dans le futur. Il tripota le bouton de réglage et pria pour tomber sur une bonne chanson.

Il lui fallut plusieurs secondes pour en trouver une, mais il la reconnut instantanément. « Human » des Killers.

Parfait !

Litgo commença à se déhancher, les yeux fixés sur sa bouteille de cidre comme si c'était sa partenaire. Il aimait beaucoup danser quand il portait son costume de Supergirl. La cape était géniale pour sauter dans tous les sens, enfin, tant qu'il ne se prenait pas les pieds dedans. Tout en se déhanchant, il fit quelques pas de danse vers l'arrière, puis vers l'avant, réalisant un curieux mélange entre le charleston et la *Macarena*. Après une demi-minute de danse effrénée il tourna sur lui-même et but une première gorgée de cidre. Ce n'est que lorsqu'il regarda par la fenêtre de la cuisine qu'il se rendit compte qu'il avait un spectateur. Derrière la fenêtre se tenait un homme qui le dévisageait sous un masque de caoutchouc jaune déformé par un rictus démoniaque.

L'Iroquois avait trouvé Litgo.

22

Milena Fonseca suivit le docteur Carter jusqu'au troisième étage. Après avoir parcouru la moitié d'un long couloir, le médecin s'arrêta devant une porte et sortit un trousseau de clefs d'une poche de sa longue blouse blanche.

« Voici la chambre de Dominic Touretto, dit-elle. Mais restez bien sur vos gardes parce qu'il est vraiment imprévisible. Il est calme 99 % du temps, mais si on le contrarie, il peut devenir difficile à contrôler, surtout avec les femmes. C'est un vrai manipulateur. Et ne soyez pas surprise s'il fait quelques remarques obscènes.

– Je sais gérer les remarques obscènes, répondit Fonseca.

– Je n'en doute pas. Mais surtout, ignorez-les. Ne rentrez pas dans son jeu s'il commence à faire des sous-entendus douteux.

– Compris. »

Carter déverrouilla la porte. Avant d'entrer, elle demanda :

« Dominic, c'est le docteur Carter. Es-tu présentable ?

– C'est possible. »

Le docteur Carter regarda Fonseca et leva les yeux au ciel.

« C'est le mieux qu'on puisse attendre de lui », dit-elle. Elle jeta un œil par l'entrebâillement de la porte avant d'entrer.

« Bonjour, Dominic, comment vas-tu aujourd'hui ? » demanda-t-elle en faisant signe à Fonseca d'entrer.

Fonseca la suivit et observa Touretto. Il était allongé sur le dos sur un lit une place disposé contre le mur au fond de la pièce. Il était plutôt petit, à peine plus d'un mètre soixante-dix.

Ses cheveux châtains étaient coiffés en banane, probablement pour essayer de compenser sa petite taille. Il portait un tee-shirt noir et un bas de jogging bleu foncé. Ses yeux brillèrent à la vue de Fonseca et il se redressa rapidement pour s'asseoir au bord du lit.

Sa chambre était presque identique à celle de Joey Conrad. Il avait une télévision et un lecteur de DVD avec une étagère de films familiaux. Mais, contrairement à Conrad, il avait également une honnête collection de livres sur une étagère en dessous.

« Qui est-ce ? demanda-t-il en désignant Fonseca d'un geste de la tête.

– C'est Milena Fonseca, répondit le docteur Carter. Elle travaille pour le FBI et enquête sur l'évasion de Joey Conrad. Elle aimerait te poser quelques questions, si ça ne te dérange pas.

– Des questions ? À quel sujet ? »

Fonseca fit un pas en avant et lui tendit la main.

« Des questions au sujet de Joey Conrad », dit-elle.

Le docteur Carter attrapa le poignet de Fonseca et l'éloigna gentiment de Touretto.

« Aucun contact avec les patients, s'il vous plaît, dit-elle doucement. Pour votre propre sécurité.

– Joey Conrad est taré », dit Touretto.

Le docteur Carter soupira.

« Dominic, combien de fois t'ai-je dit qu'on ne traitait pas les gens de tarés ici ?

– Désolé. »

Fonseca remarqua que la peau était légèrement plus claire autour de son œil gauche, comme un reste de bleu.

« Qu'est-il arrivé à votre œil ? » demanda-t-elle.

Touretto posa la main sur le bleu près de son œil. Le docteur Carter répondit à sa place.

« Joey Conrad l'a frappé.

– Pourquoi vous a-t-il frappé ? » demanda Fonseca, en prenant soin de donner l'impression qu'elle ne savait rien de l'attaque et ne faisait que s'inquiéter de son bien-être. Grâce à ce subterfuge, elle espérait amadouer Touretto et l'inciter à lui donner plus d'informations.

« Parce que c'est un fils de pute.

– Pardon ?

– C'est un fils de pute. »

Le docteur Carter l'interrompit une nouvelle fois.

« Dominic, je ne t'ai pas déjà dit que tu ne pouvais pas traiter les gens de "fils de pute" ?

– Pardon.

– Alors pourquoi Joey Conrad vous a frappé ?

– Parce que c'est un enculé.

– Dominic ! cria le docteur Carter, furieuse.

– Un sale pédé.

– Dominic ! » répéta le docteur en baissant un peu la voix mais sur un ton beaucoup plus autoritaire. Touretto regarda ses pieds et marmonna des excuses à peine intelligibles.

« Donc, reprit Fonseca, pourquoi vous a-t-il frappé ? Est-ce qu'il avait une raison ?

– Ouais, répondit Touretto en hochant la tête.

– Laquelle ? »

Touretto regarda le docteur Carter.

« Je peux pas vous le dire devant le docteur Carter, dit-il.

– Pourquoi cela ?

– Parce que c'est une pute et une salope. »

Fonseca sentait qu'il y avait beaucoup plus à apprendre de Dominic Touretto qu'elle ne l'avait cru au début. Elle avait rapidement consulté son dossier confidentiel sur son portable lorsque le docteur Carter l'avait escortée jusqu'à sa chambre. Elle n'avait pas fouillé assez pour avoir une idée de son caractère cependant, seulement des crimes qu'il avait commis.

« C'est un comportement normal chez lui », dit le docteur Carter. Elle resta impassible ou, en tout cas, fit très bien semblant d'être insensible à ce genre de remarques déplaisantes.

« Ça vous embêterait que je parle à Dominic en privé pendant un moment ? demanda Fonseca.

– Pardon ? fit le docteur Carter d'un air surpris.

– J'aimerais lui parler en privé, je vous prie.

– Quoi ? demanda le docteur Carter en secouant la tête. Non. C'est impossible. C'est hors de question.

– J'ai juste besoin de lui parler seul à seul. J'en ai pour quelques minutes seulement.

– Je suis désolée, dit le docteur Carter. Je ne peux pas vous laisser faire. C'est contre le règlement de l'hôpital.

– Le règlement de l'hôpital », répéta Touretto sur un ton enfantin.

Fonseca s'approcha du docteur Carter et lui murmura à l'oreille.

« Laissez-moi lui parler en privé ou je vous fais mettre en prison. »

Le docteur Carter resta abasourdie. Son visage révéla à quel point elle était choquée par cette soudaine menace sortie de nulle part.

« Vous n'avez pas l'autorité pour faire ça. Ne faites pas de menaces pathétiques que vous ne pourriez pas mettre à exécution. »

Fonseca sourit et posa un regard confiant sur le docteur Carter.

« Vous n'avez aucune idée de l'autorité que j'ai.

– Je ne suis pas une idiote, agent Fonseca. Je connais mes droits. Vous ne pouvez pas m'envoyer en prison pour avoir fait mon travail. Le FBI n'a pas ce pouvoir. J'en ai assez vu à la télévision à votre sujet pour le savoir.

– Le problème, répondit Fonseca, c'est que je ne suis pas vraiment du FBI. Je suis environ cent échelons au-dessus. Vous ne savez rien de moi, et je parierais jusqu'à mon dernier dollar que vous ne savez rien du FBI non plus. Mais moi, je sais tout de vous, docteur Carter, Linda Carter, d'après Wonder Woman parce que votre père a fait de la figuration dans la série télévisée du même nom dans les années 1970. Linda Joan Carter, vous êtes allée au lycée de Bengville, vous avez réussi vos examens de psychologie avec un score de 86 %, le même que votre ami Julian Brockman qui était assis à côté de vous pendant l'examen. Vous êtes ensuite allée à l'université Rockwell et avez eu votre diplôme avec mention, qui vous a été remis par le doyen, Cameron Vosselberg, avec qui vous êtes sortie pendant seize mois, jusqu'à ce que vous le larguiez sans ménagement un mois après avoir reçu votre diplôme...

– Je vous attends dehors, l'interrompit le docteur Carter. Vous avez deux minutes. Pas une seconde de plus.

– Je prendrai tout le putain de temps qu'il me faut », cingla Fonseca en lui indiquant la porte.

Le visage du docteur Carter s'empourpra. Elle était visiblement agitée mais décida sagement de ne pas s'attarder. Ce qui n'était pas vraiment surprenant. Elle savait que Fonseca n'avait pas encore évoqué les éléments les plus douteux de son passé.

Dès que le docteur Carter fut sortie, Fonseca ferma violemment la porte derrière elle et fixa son attention sur Dominic Touretto. Il était assis sur son lit, l'air penaud, comme s'il savait ce qui allait suivre. Fonseca sortit son téléphone portable de sa poche. Elle parcourut différents menus avant d'accéder aux dossiers sur Touretto. Un enquêteur au QG lui avait transmis une liste résumant ce qu'il y avait à savoir sur le patient. Une liste très intéressante. Il y avait également un court message l'informant que d'autres éléments arrivaient. Fonseca fit un grand sourire puis rangea son téléphone dans sa poche.

« Vous avez été surpris par la façon dont je me suis occupée du docteur Carter ? » demanda-t-elle.

Touretto hocha la tête.

« Le docteur Carter sent la merde. Elle l'a bien mérité. »

Fonseca resta immobile, debout devant lui, dans le but d'affirmer sa domination sur lui en le mettant mal à l'aise. Il gigotait d'un air gêné, essayant autant que possible d'éviter tout contact visuel.

« Vous êtes donc Dominic Touretto, dit-elle.

– Dominic Touretto, répéta-t-il de la même voix enfantine qu'il avait utilisée plus tôt avec le docteur Carter.

– Et vous êtes comédien, c'est bien ça ? »

Il leva les yeux vers elle et établit enfin un contact visuel. Pour la première fois, elle vit une lueur de vie dans son regard. Il ne faisait plus l'innocent. Elle avait réussi à capter son attention, même si ce n'était que temporaire. Comme s'il venait de comprendre que son langage corporel en avait trop dit, il se remit très vite dans la peau du personnage désorienté, évasif et mal à l'aise qu'il était avant.

« Vous aimez vous moquer de l'autorité, n'est-ce pas Dominic ? poursuivit-elle.

– L'autorité. Oui. Oui.

– C'est amusant, non ? Surtout quand cette autorité n'a aucune idée de ce que vous faites. Mais le plus drôle, c'est quand le masque tombe et qu'ils comprennent que vous vous êtes payé leur tête, n'est-ce pas ? »

Il lui jeta un autre regard confus. Il était évident qu'il se demandait où cet interrogatoire allait les mener.

« Ouais, c'est amusant », dit-il d'un ton las.

Fonseca s'appuya contre le mur et sortit de nouveau son téléphone de sa poche. Les dernières informations du QG venaient d'arriver.

« Vous êtes ici depuis presque trois ans maintenant.

– Trois ans. Oui. »

Fonseca trouva ce qu'elle cherchait sur son téléphone et se prépara à faire disparaître cet air de suffisance du visage de Touretto.

«Dominic Englebert Touretto, arrêté pour le meurtre d'une prostituée de dix-huit ans, correct?

– Si vous le dites.

– Vous avez plaidé la folie et convaincu le jury que vous n'aviez pas commis le meurtre et que le coupable était en réalité votre alter ego, *Roy*.

– Roy. Oui.

– Troubles de la personnalité multiple, hein? Et votre alter ego s'appelait Roy?»

Touretto déglutit bruyamment, mais ne dit rien. Il regardait ses pieds.

«Roy, répéta Fonseca. J'aurais tout de suite compris la blague. Mais pas le jury. Ni le juge ou l'accusation. J'imagine que vous n'en reveniez pas de votre chance?»

Touretto prit une grande inspiration mais ses yeux restèrent fixés sur ses pieds.

«Vous avez vu le film *Peur primale*, n'est-ce pas? demanda Fonseca.

– Jamais entendu parler.

– C'est amusant, parce que d'après mes dossiers, vous en avez rejoué plusieurs scènes devant la cour. Dans le film, Edward Norton joue le rôle d'un type jugé pour meurtre. Il convainc le juge et le jury, et même son propre avocat, que ce n'est pas lui qui a commis le meurtre mais Roy, son alter ego. Il est ensuite acquitté et envoyé en hôpital psychiatrique parce que le jury pense qu'il est fou et souffre d'un trouble de la personnalité multiple, alors qu'en réalité c'est un tueur froid et calculateur.»

Touretto ne dit rien et garda les yeux baissés.

«Ce n'est qu'une fois l'affaire classée que quelqu'un a compris ce que vous aviez fait, mais il était trop tard pour invoquer un vice de procédure.

– Je vois pas de quoi vous parlez.

– Oh si. Vous étiez convaincu que vous iriez en prison car les preuves contre vous étaient trop accablantes. Alors pour vous amuser, vous avez décidé de faire une petite blague à la cour, en jouant le rôle d'Edward Norton dans *Peur primale*. Vous ne vous doutiez pas que ça marcherait, mais il se trouvait que personne dans le jury n'avait vu le film. Ils ont vraiment cru que vous étiez fou. Et ensuite, *bordel de merde*, vous vous en êtes sorti. Et vous vous êtes retrouvé ici plutôt qu'en prison. Vous aviez du mal à y croire, je parie.

– Ce n'est pas vrai.» Il y eut une soudaine clarté dans la voix de Touretto qui n'était pas là avant.

«Si, ça l'est. Vous, vous êtes parfaitement sain d'esprit. Alors si vous arrêtiez de faire semblant d'être taré ?

– On n'utilise pas ce mot ici.»

Fonseca sourit.

«Je pourrais facilement passer quelques coups de fil et vous faire juger une nouvelle fois. Alors si vous arrêtiez de faire semblant d'être fou et répondiez à mes questions ?»

Elle le laissa transpirer un peu à l'idée d'un nouveau procès avant de reprendre son interrogatoire.

«Alors dites-moi, Dominic, ou faut-il que je vous appelle Roy ? dit-elle en rangeant son téléphone dans sa poche. Pourquoi Joey Conrad vous a-t-il frappé ?»

Touretto avala sa salive. Il leva les yeux vers elle avec le même regard déconfit que le docteur Carter une minute plus tôt, quand Fonseca lui avait mis ses tricheries sous le nez.

«C'est dans *Autant en emporte le vent*, dit-il.

– Pardon ?»

Il montra du doigt les livres sur l'étagère en dessous des DVD.

«*Autant en emporte le vent*, page 82.»

Fonseca n'était pas tout à faire sûre de ce qu'elle devait faire. Si c'était une blague, elle ne l'avait pas comprise. Elle se dirigea vers l'étagère, sans quitter Touretto des yeux un seul instant. Elle sortit *Autant en emporte le vent* et fit défiler les pages jusqu'à la 82. Une petite photographie glissa et tomba sur le sol. Elle se pencha pour la ramasser.

«Je vous en prie, ne la confisquez pas», dit Touretto, ses yeux révélant soudain un désespoir profond.

Fonseca tint la photo devant ses yeux pour mieux la regarder. C'était la photo d'une fille en sous-vêtements noirs, une jolie jeune femme qui n'avait probablement pas plus de vingt ans. Elle avait des cheveux bruns et un adorable visage, malheureusement marqué d'une tache de naissance assez voyante.

«Pourquoi me montrez-vous ça?

– Joey Conrad la voulait.

– C'est pour ça qu'il vous a frappé?

– Il la voulait pour lui tout seul.

– Pourquoi?»

Touretto rougit et leva les sourcils.

«À votre avis?

– Pour en faire la même chose que vous, j'imagine.» Fonseca frémit en imaginant Touretto se masturber sur la photo.

«Mais moi je l'ai rencontrée en vrai, dit-il. Je voulais garder la photo en souvenir.

– C'est une amie à vous? demanda Fonseca en regardant la photo d'un peu plus près.

– Pas exactement.

– Est-ce que Joey Conrad l'a déjà rencontrée?

– Impossible, dit Touretto. Sauf s'il faisait le mur le soir pour aller à B Movie Hell.

– Que voulez-vous dire?

– Elle vit à B Movie Hell.

– Vous avez rencontré cette fille à B Movie Hell?

– Ouais.

– Lors de votre évasion?

– Hmm hmm. Elle travaillait dans un bordel, le Minou Joyeux. Elle m'a laissé garder sa photo en souvenir, comme je n'étais pas du coin.»

Fonseca ressortit son téléphone de sa poche et s'en servit pour prendre une photo de la photo de la fille.

« Comment s'appelle-t-elle ? demanda-t-elle.

– Bébé.

– Et son vrai nom ?

– Je sais pas. C'est le seul nom que je connais, promis.

– Est-ce qu'elle a un nom de famille ?

– Je n'ai pas demandé. Je suis même pas sûr que les filles là-bas aient un nom de famille.

– Et est-ce que vous vous êtes vanté devant Joey d'avoir couché avec elle ?

– Il est possible que j'en aie parlé.

– Donc vous l'avez fait ?

– Ouais.

– Est-ce que vous pensez qu'il s'est enfui pour aller à B Movie Hell et coucher avec elle, lui aussi ?

– C'est fort possible. Il était fou de jalousie, ça se voyait. Je voulais pas lui donner la photo, c'est pour ça qu'il m'a frappé.

– Mais vous avez réussi à garder la photo. Impressionnant, dit Fonseca, curieuse de savoir comment il s'y était pris.

– Je suis très fort pour cacher cette photo. Ma chambre a été mystérieusement saccagée plusieurs fois depuis ma bagarre avec Conrad. Quelqu'un veut vraiment cette photo, et je ne parle pas seulement de Joey Conrad. J'ai dû la cacher dans mon cul plus d'une fois. »

Fonseca baissa les yeux sur l'image qu'elle avait dans la main. Elle était un peu marron sur les côtés.

« Vous avez mis cette photo dans votre anus ? demanda-t-elle, résistant à l'envie de la renifler pour vérifier.

– Vous n'allez pas la prendre, hein ?

– Pas aujourd'hui. Pas tant que vous coopérez. » Elle remit la photo dans *Autant en emporte le vent*, page 82.

« J'ai une photo sur mon téléphone. Ça suffira pour le moment.

– Je vous en prie, n'en parlez pas au docteur Carter, elle la confisquera sans hésiter. Et je voudrais pas oublier à quel point

Bébé était belle. C'était la meilleure nuit de ma vie depuis qu'on m'a envoyé ici, je vous assure.

– Vous avez été violent ? »

Touretto regarda de nouveau ses pieds.

« J'ai eu ce pour quoi j'ai payé. Je l'ai forcée à rien. »

Fonseca referma l'exemplaire d'*Autant en emporte le vent* et le replaça sur l'étagère.

« Donc Joey Conrad ne connaissait pas la fille à ce moment-là ? Vous en êtes sûr ?

– Ouais, je vois pas comment il aurait pu la connaître. Comme je vous l'ai dit, il n'est jamais sorti de cet endroit jusqu'à son évasion. Et je suis sûr que le docteur Carter pourra vous confirmer qu'il n'a jamais eu de visiteurs. Ce type n'a pas de famille, et encore moins d'amis, croyez-moi. »

La porte de la chambre de Touretto s'ouvrit et le docteur Carter entra d'un pas hésitant.

« Vos deux minutes sont terminées, dit-elle.

– Sortez d'ici, bordel de merde ! » hurla Fonseca dans sa direction. Carter eut l'air choquée mais recula sagement et ferma la porte derrière elle. Fonseca se tourna vers Touretto.

« Est-ce qu'il y a autre chose que vous pouvez me dire sur Joey Conrad ?

– Ouais.

– Quoi ?

– Il s'imagine être un million de gens différents. Il aime faire semblant d'être un personnage de film. Il adore les films.

– Vous savez qui lui fournit les DVD, ou autre chose ?

– Laissez-moi vous montrer », dit Touretto. Il se leva du lit et passa son tee-shirt par-dessus sa tête, révélant un torse très musclé.

« Qu'est-ce que vous faites ? » demanda Fonseca d'un air perplexe.

Touretto baissa son pantalon de jogging, dévoilant qu'il ne portait rien en dessous. Fonseca aperçut son pénis et un début d'érection. Prise par surprise, elle détourna immédiatement le regard.

« Vous voulez bien remettre vos vêtements ? dit-elle.

– Vous n'êtes pas aussi observatrice que je pensais, dit Touretto avec un large sourire, mettant fièrement ses hanches en avant pour s'assurer que son pénis soit bien dans le champ de vision de Fonseca.

« Que voulez-vous dire ?

– Vous avez énervé le docteur Carter.

– Et ?

– Et elle vous a enfermée à l'intérieur. C'est le moment de vous présenter mon alter ego... *Roy.* »

23

« Q uelle fille ? » répéta Munson. Le policier qui venait de sortir des toilettes resta bouche bée, ignorant ce qu'il devait répondre. Ses joues s'empourprèrent. Il regarda Randall.

« Ne le regardez pas lui ! lança Munson. Quelle fille ?

– Heuuu.

– Comment tu t'appelles, fiston ?

– Gary.

– Gary. Quelle fille ? Regarde-moi. »

Munson posa sur Gary un regard insistant. Comme il s'y attendait, le jeune policier craqua.

« Heu, il y avait une fille qui courait à travers les champs », murmura-t-il.

Munson se détourna de lui, le libérant de l'emprise de son regard. Il porta son attention sur Candy et Randall pour voir comment ils réagissaient à la mention de la fille. Si le type des toilettes était au courant, ils l'étaient sûrement aussi.

« Ah oui, la fille, oui, dit Candy en se tapant le front. Il y avait une fille qui s'est enfuie à travers le champ quand l'Iroquois est arrivé.

– Pourquoi vous n'en avez pas parlé avant ?

– J'ai oublié. »

Munson se tourna vers Randall.

« Vos potes conduisent à travers le champ pour récupérer la fille. Pourquoi ?

– Probablement pour vérifier qu'elle va bien. Je suis sûr que oui. L'Iroquois est parti par la route, n'est-ce pas, Candy ?

– Oui, acquiesça Candy. La fille va bien, j'en suis sûre. Je pense pas que l'Iroquois en avait après elle. »

Munson hocha la tête en les écoutant fabriquer leur histoire. Quelque chose ne collait pas. Tous ceux qu'il avait croisés dans le restaurant se comportaient comme s'ils avaient quelque chose à cacher. Et c'était peut-être lié à cette mystérieuse fille.

« Vous savez qui était cette fille ? demanda-t-il. J'aimerais lui poser quelques questions. Après tout, elle a été témoin des meurtres, non ? »

Candy regarda le plafond en se grattant le menton.

« Vous savez quoi ? dit-elle. Je l'ai pas bien vue. Elle n'était pas là depuis longtemps quand le tueur a commencé à frapper. Je n'avais même pas pris sa commande.

– Je vois. Et où était-elle assise ?

– Hein ?

– Où était-elle assise ? Dans un des box ? Ou au comptoir ?

– Heuuu. »

Randall intervint.

« J'imagine que ce n'est pas facile de se rappeler ce genre de petits détails, n'est-ce pas Candy ? Tu dois encore être en état de choc.

– Oui, c'est ça, dit Candy en hochant la tête. Je suis en état de choc. Je ne sais plus où la fille était assise. Je me souviens juste de l'avoir vue traverser la route et courir dans le champ. Les autres clients sont partis en voiture. Apparemment elle n'en avait pas. »

Munson regarda encore une fois autour de lui, les examinant un à un avant de se tourner vers la serveuse. À l'extérieur, il vit une camionnette FedEx se garer sur le parking. Les autres ne l'avaient pas encore remarquée. L'arrivée d'une autre personne pourrait offrir à Randall, Candy et Gary la distraction dont ils avaient besoin pour mettre au point leur petite histoire. Il lui fallait des réponses, et vite. Candy était sa meilleure chance.

« Mais vous avez dit à Randall et à... » Il se tourna vers le policier près des toilettes. « Tu t'appelles comment, déjà ?

– Gary.

– Ton nom complet ?

– Gary Machin.

– Dis-moi, *Gary Machin*, puisque Candy est en état de choc et se rappelle que dalle, pourquoi tu me dirais pas ce qu'elle vous a dit sur la fille avant que t'ailles chier un coup et que le traumatisme la rende complètement amnésique ? »

Gary regarda Randall dans l'espoir de recevoir de l'aide.

« Je t'ai déjà dit de ne pas le regarder, lança Munson sèchement. Parle-moi de la fille.

– Heuu, elle s'est enfuie à travers le champ. C'est bien ça, Randall ?

– C'est bien ça », dit Randall.

Munson garda les yeux fixés sur Gary dans l'espoir de le déstabiliser pour mieux lui soutirer d'autres informations potentielles. Le silence gêné fut interrompu par le tintement de la cloche au-dessus de la porte d'entrée. Tout le monde se retourna pour voir qui venait d'entrer. Un jeune homme vêtu d'une veste en jean bleue et d'un pantalon moulant assorti les regarda d'un air embarrassé.

« Qui êtes-vous ? demanda Randall.

– Désolé de vous déranger, mais j'ai oublié mon portefeuille ici. Vous savez, quand le type masqué a sorti son couperet. Je suis parti en courant sans réfléchir. J'ai laissé mon plat et mon portefeuille. J'avais l'esprit un peu ailleurs.

– J'ai votre portefeuille », dit Candy en s'approchant de lui. Elle plongea la main dans la poche avant de son tablier et en sortit un portefeuille en cuir marron.

« Voici, dit-elle, en le tendant par-dessus le comptoir.

– Comment tu t'appelles, mon garçon ? demanda Munson lorsque le jeune homme s'approcha du comptoir pour récupérer son portefeuille.

– Luke.

– T'es de la ville, Luke ?

– Pas vraiment. Je travaille pour FedEx à Lewisville. Je livre des colis ici de temps en temps. C'est ma camionnette qui est garée devant. »

Munson fit quelques pas rapides en direction du jeune homme et jeta un œil vers la camionnette, faisant semblant de ne pas l'avoir remarquée avant.

« Laisse-moi te raccompagner à ton véhicule, dit-il en passant son bras autour de l'épaule de Luke. J'aimerais te poser quelques questions. »

Derrière eux, Randall s'éclaircit la voix.

« Vous savez quoi, il devrait nous accompagner au poste de police pour qu'on l'interroge. Ça pourrait être un témoin essentiel.

– Vous pourrez lui parler quand j'en aurai fini avec lui, dit Munson. Restez ici et occupez-vous de Candy, elle est en état de choc. »

Munson escorta Luke jusqu'au parking. Lorsqu'ils furent hors de portée de voix du restaurant, il relâcha l'épaule du jeune homme. Il sortit son badge d'identification et lui montra rapidement.

« Je suis Jack Munson, du FBI. J'aimerais que tu me dises exactement ce que tu as vu quand tu étais dans le restaurant.

– D'accord. » La mention du FBI semblait avoir rendu Luke un peu nerveux. Il jeta un œil vers l'Alaska et ses occupants, qui étaient en train de les observer.

– Ne les regarde pas eux, dit Munson. Regarde-moi. Que s'est-il passé quand l'Iroquois a tué Arnold Bailey ?

– C'était lequel, Arnold Bailey ?

– Celui sans tête ni doigts.

– C'est le type qu'il a traîné dans les toilettes ?

– Oui. Arnold Bailey. Est-ce qu'il a fait quoi que ce soit pour provoquer une agression ?

– Je crois pas, répondit Luke en secouant la tête. Ce type-là, Arnold Bailey, on aurait dit qu'il allait s'engueuler avec sa petite amie. Elle a dit quelque chose qui l'a énervé. Mais ensuite, le psychopathe a enfilé son masque et il s'est dirigé vers lui avec une putain de lame géante à la main. Il l'a pas vu venir.

– Quelle petite amie ?

– Hein ?

– Tu as dit qu'Arnold était en train de se disputer avec sa petite amie. Qu'est-ce qui lui est arrivé ? Ils se disputaient à quel sujet ?

– Ce n'était pas vraiment une dispute. J'étais assis dans un box pas loin d'eux. Sa petite amie, enfin j'imagine que c'était sa petite amie, bref, elle lui a tiré le bras en disant quelque chose du genre qu'elle voulait garder le bébé.

– Son bébé ? Quel bébé ?

– Je sais pas. J'imagine qu'elle était enceinte, un truc du genre.

– Elle avait l'air enceinte ?

– Non. Mais vous savez, je suis pas un expert. Mais je suis sûr qu'elle a dit qu'elle voulait garder le bébé. Et ce type, Arnold, il lui a lancé un regard noir et elle a plus rien dit. Et ensuite, comme je disais, le type masqué est arrivé et lui a tranché les doigts avec un putain de couteau énorme. Deux types assis à une table pas loin de la mienne se sont levés et ont essayé de le retenir, mais il s'en est pris à eux. Moi, j'ai pas bougé. Après avoir tué les deux types, le tueur masqué est retourné vers Arnold et l'a traîné par les cheveux dans les toilettes pour hommes. C'est là que je me suis levé et que je suis parti en courant.

– Et la fille ? Qu'est-ce qu'elle a fait ?

– Je sais pas.

– Est-ce qu'elle a crié ? Est-ce qu'elle est partie en courant ? »

Luke haussa les épaules.

« J'en sais rien, mec. J'ai pas traîné. Les gens devenaient fous, *tout le monde* hurlait et cherchait la sortie. C'était un peu taré. Chacun pour soi, hein, vous voyez ce que je veux dire ?

– Ouais. Donc tu ne sais pas ce qui est arrivé à la fille ?

– Non, désolé.

– C'est pas grave. J'ai entendu dire qu'elle avait traversé la route et couru dans le champ, là-bas. Tu sais où elle a pu aller ? »

Luke regarda vers le champ.

« Y a pas grand-chose par là. Juste une ferme. Y a un type louche qui y vit, un travesti, il s'appelle Litgo. Je lui ai déjà livré des paquets un peu bizarres. Mais sinon, il n'y a que des champs et des marécages.

– On y va comment, chez Litgo ?

– J'y vais en voiture, moi. Pourquoi ?

– Non. Je veux dire, par quelle route ? Tu traverses ce champ pour y aller ? »

Luke le regarda d'un air perplexe.

« Traverser le champ en voiture ? Sûrement pas, ça bousillerait mes suspensions. Il faut prendre la route et, au bout d'un kilomètre et demi à peu près, y a un chemin de terre qui mène chez Litgo. C'est pas parfait non plus. C'est un peu cahoteux mais c'est plus sûr que par le champ.

– Alors pourquoi quelqu'un traverserait le champ en voiture ? demanda Munson en pensant au véhicule de police qu'il avait vu traverser le champ à toute vitesse un peu plus tôt.

– C'est un raccourci, dit Luke, mais faut vraiment être pressé. »

Munson regarda vers le champ. La voiture de police qui était partie dans cette direction avait depuis longtemps disparu à l'horizon.

« Y a un chemin de terre un peu plus loin, c'est ça ?

– Ouais.

– Y a un panneau ?

– Ouais. Vous pouvez pas le rater. Mais si vous voulez rendre visite à Litgo, soyez prudent. Il est un peu parano. Comme il est isolé, il a été cambriolé plusieurs fois, alors maintenant il met des petits pièges autour de sa maison pour attraper les intrus.

– Comme quoi ? demanda Munson avec un sourire en coin. Des mines ?

– Personne ne sait, mais le dernier qui a essayé de le cambrioler a fini à l'hôpital, un truc bizarre lui est arrivé là-bas, il est resté une semaine à l'hosto.

– Je prends le risque, dit Munson. Mais merci pour le tuyau. »

24

Benny était soulagé que Bébé ne soit pas très bavarde depuis qu'il l'avait récupérée chez Litgo. Elle semblait étourdie et un peu secouée, ce qui n'était pas vraiment surprenant après une telle journée. Elle avait vu Arnold se faire tuer, s'était fait tirer dessus par le chef cuistot de l'Alaska, et avait fini par s'évanouir dans la maison d'un homme déguisé en Supergirl.

« Comment tu te sens ? demanda Benny. Ça va aller ? Tu as l'air fatiguée.

– Je suis fatiguée. Et mon bras me fait toujours mal.

– Tu devrais fermer les yeux et essayer de dormir. Ça ira mieux après.

– Vous croyez ?

– Ouais. Fais-moi confiance. Quand on se fait tirer dessus, la meilleure chose à faire est de dormir. N'importe quel docteur digne de ce nom te le dira.

– Vraiment ?

– Ouais. Essaie. Tu te sentiras mieux après, c'est promis. »

Bébé ne semblait pas convaincue mais elle était plutôt timide de nature, alors elle ferma les yeux et essaya de dormir.

Parfait.

Elle pensait toujours que Benny la conduisait à l'hôpital. Maintenant qu'il l'avait persuadée de fermer les yeux, il pouvait la ramener chez Mellencamp sans qu'elle s'en rende compte et ainsi éviter une crise d'hystérie.

Benny baissa le volume de la radio. Il ne voulait pas risquer de déranger sa passagère. Malheureusement, quelques minutes après qu'elle eut fermé les yeux, le téléphone de Benny se mit à sonner. Tout en gardant une main sur le volant, il farfouilla dans sa poche jusqu'à ce qu'il parvienne à l'extirper. C'était Reg qui l'appelait de l'Alaska. Il répondit juste avant que le répondeur ne se déclenche.

« Salut, Reg, dit-il à voix basse. Qu'est-ce qui se passe ?

– Tu as bien récupéré la fille chez Litgo ?

– Ouais. Il t'a pas dit ?

– J'ai essayé de l'appeler mais il ne répond pas.

– Tu le connais. Il a encore dû s'attacher avec le lasso magique de Wonder Woman ou bu le poison qu'il laisse traîner pour les cambrioleurs. »

Reg rit poliment avant de reprendre son sérieux.

« Mais il faut que je te dise quelque chose.

– Quoi donc ?

– Y a un type du FBI qui vient de passer à l'Alaska. Il sait qu'il y avait une fille avec Arnold et qu'elle s'est enfuie en direction de chez Litgo. Candy pense qu'il y va pour essayer de la trouver. C'est pour ça qu'il faut que j'arrive à joindre Litgo pour le prévenir.

– Et merde. Je savais qu'un type du FBI devait venir. On peut pas le laisser parler à Litgo. C'est pas son fort les situations sous tension comme ça. Il va craquer. Tu ferais bien de réussir à le joindre parce qu'il pourrait tout faire merder.

– Ça a déjà merdé, dit Reg sèchement. Ce putain d'Iroquois a bien foutu le bordel en ville. On devrait prévenir Mellencamp.

– Ouais. Je m'en occupe. J'y vais, là, merci pour le tuyau, Reg.

– Aucun problème. À plus. »

Benny raccrocha et réfléchit à cette situation délicate. La dernière chose dont il avait besoin, c'était du FBI à B Movie Hell, surtout pas pour poser des questions à Litgo. Si Litgo vendait la mèche pour Bébé, la prochaine personne que le FBI recherche-rait, ce serait Benny lui-même.

« Mauvaises nouvelles ? » demanda Bébé.

Benny avait oublié sa présence pendant une minute et fut agacé de voir qu'elle n'essayait pas de dormir.

« Non, rien de grave, répondit-il avec un sourire forcé.

– Où est-ce qu'on va ? demanda-t-elle.

– Pardon ?

– Où est-ce qu'on va ?

– Oh. Je te ramène à la maison. »

Il garda les yeux fixés sur la route mais du coin de l'œil, il put voir le visage de Bébé se décomposer. Le Minou Joyeux était bien le dernier endroit où elle voulait aller. Mais c'était pour son bien.

« À la maison ? demanda-t-elle, sans parvenir à cacher sa déception.

– Ouais, enfin tu sais, au Minou Joyeux.

– Et mon bras ? Je dois aller à l'hôpital.

– Je t'y emmènerai après. Je dois m'assurer que M. Mellencamp sait que tu es en sécurité avant. Il était très inquiet pour toi, surtout après ce qui est arrivé à Arnold.

– S'il vous plaît, dit-elle d'une voix qui puait le désespoir. S'il vous plaît, ne me ramenez pas là-bas.

– Bébé, dit-il calmement. C'est pour ton bien.

– C'était qui au téléphone ?

– Personne.

– C'était Reg, n'est-ce pas ? »

Les questions incessantes de Bébé commençaient à sérieuse-ment énerver Benny.

« Oui. C'était Reg.

– Je crois que c'est lui qui m'a tiré dessus. »

Benny inspira profondément.

«Bébé, à ta place je réfléchirais aux excuses que tu vas présenter à M. Mellencamp pour tous les problèmes que tu lui as causés aujourd'hui. C'est ta faute si Arnold est mort. Et ça a pas mal contrarié M. Mellencamp. Alors au lieu de te demander qui t'a tiré dans le bras, tu devrais peut-être te demander quelle partie de ton corps la prochaine balle atteindra.»

25

Dominic Touretto n'avait aucune idée de ce dans quoi il venait de s'embarquer. Fonseca n'était pas uniquement beaucoup plus forte que toutes les femmes qu'il avait sexuellement agressées, elle avait aussi l'avantage de maîtriser plusieurs arts martiaux.

Cela faisait quelque temps qu'elle n'avait pas eu besoin de se servir de ses talents en la matière, mais elle n'avait pas perdu ses vieux réflexes. Alors que la silhouette nue de Touretto se préparait à lui bondir dessus, elle pivota sur elle-même, recula vers lui, lui planta le talon de sa chaussure dans le pied et s'apprêta à faire passer son assaillant par-dessus son épaule.

Touretto hurla de douleur lorsque le talon de la chaussure lui écrasa les orteils. Il passa son bras droit autour du cou de Fonseca et pressa son corps contre son dos. C'était un mouvement prévisible et exactement ce que la jeune femme espérait. Lorsqu'elle sentit la demi-érection contre son dos, elle mit son plan à exécution. Elle se pencha en avant, attrapa Touretto par l'aisselle et le fit passer par-dessus son épaule. Il s'écrasa sur le sol devant elle. Un bruyant claquement raisonna dans la pièce, qui n'était pas sans rappeler le bruit de quelqu'un faisant un plat dans une piscine depuis le plongeoir le plus haut. L'impact de son dos contre le sol le mit complètement à plat. Il resta étendu sur le sol, hagard, les yeux fixés au plafond. Il cligna furieusement des yeux pour essayer de comprendre ce qui venait de lui arriver.

Fonseca s'agenouilla près de lui et souleva sa tête du sol. Elle passa un bras autour de sa gorge et serra fermement pour lui bloquer la trachée. Il se débattit pendant quelques secondes, en vain. Fonseca était beaucoup trop forte pour lui. Le manque d'oxygène dans son cerveau et l'étourdissement qui avait suivi sa chute quelques secondes plus tôt rendaient tous ses efforts inutiles. Quand il fut sur le point de perdre conscience, Fonseca relâcha son étreinte et reposa sa tête sur le sol. Elle le retourna sur le ventre. Il laissa échapper un gémissement d'épuisement et essaya de se mettre à genoux.

Fonseca remarqua la présence d'un stick de déodorant sur la table de nuit. Elle tendit la main et l'attrapa. Elle retira le bouchon tout en pressant son genou contre le dos de sa victime impuissante. Elle lui attrapa une touffe de cheveux et tira sa tête vers l'arrière. Il était maintenant exactement dans la position qu'elle souhaitait. Touretto fut aussi surpris qu'horrifié lorsqu'elle lui enfonça l'extrémité lubrifiée du déodorant entre les fesses.

Il sortit immédiatement de son état de stupeur. Son corps se crispa et un son rauque s'échappa de sa gorge. Fonseca enfonça le déodorant aussi loin que possible.

« Qu'est-ce que ça fait ? Hein ? lui cria-t-elle à l'oreille. Qu'est-ce que ça fait, espèce de dégénéré ? »

Touretto hurla de douleur.

« Ahhh ! Merde. MERDE. MERDE ! Arrêtez. J'abandonne. Je suis désolé. Ahhhhh ! »

Fonseca sortit à moitié le déodorant avant de l'enfoncer de plus belle, deux fois plus fort qu'avant. Touretto se remit à hurler de douleur. Fonseca retira le déodorant et lui attrapa le scrotum. Elle serra fermement et y planta ses ongles. Les cris de sa victime étaient de plus en plus aigus.

« Si tu ne veux pas que je t'arrache les couilles, tu ferais bien de te calmer. » Fonseca prononça calmement et distinctement chaque mot dans son oreille.

« Je suis désolé. *Je suis désolé*, dit-il dans un couinement.

– Alors maintenant, dis-moi. Si la porte est fermée à clef, quel est le meilleur moyen de sortir d'ici ?

– Vous ne pouvez pas. »

Elle pressa fermement ses couilles dans sa main.

« Ce n'est pas la réponse que j'attendais. Quand vous voulez attirer l'attention ici, qu'est-ce que vous faites ? Comment puis-je faire revenir le docteur Carter pour qu'elle ouvre la porte avant que je t'arrache les couilles ?

– C'est pas le vrai docteur Carter, gémit Touretto.

– Quoi ?

– Les patients ont pris le contrôle de l'hôpital il y a quelques jours. La femme qui était là n'est pas le vrai docteur Carter. C'est une patiente. Un groupe de patients a remplacé les docteurs et les infirmières la semaine dernière. C'est comme ça que Joey Conrad s'est enfui. Cet hôpital est contrôlé par les patients. »

Milena Fonseca relâcha les couilles de Touretto et se leva.

« Ne bouge pas, dit-elle. Tu fais le moindre mouvement et je t'enfonce le déodorant si profondément dans le cul que tu pourras t'en servir pour garder l'haleine fraîche. »

Dominic Touretto resta à quatre pattes, nu et pathétique, le cul en l'air. Malgré le stick de déodorant toujours enfoncé dans l'anus, il avait réussi à rester en érection tout au long des sévices que Fonseca venait de lui infliger. En réalité, son pénis était même plus dur et gonflé qu'avant qu'elle ne commence à le sodomiser avec le déodorant. Lorsqu'elle s'en rendit compte, la situation la déstabilisa pendant quelques instants, mais elle se reprit rapidement et continua l'interrogatoire.

« Tu es en train de me dire que cet asile est géré par les patients ?

– Depuis mardi dernier.

– Alors où sont les vrais médecins ?

– Ils sont tous morts. Joey Conrad les a tués. »

Fonseca ne savait pas trop quoi faire de ces révélations. Si elle voulait avoir la moindre chance de sortir de cet asile, elle allait devoir passer quelques coups de fil. Elle était soulagée d'avoir son téléphone portable avec elle. Elle plongea la main dans sa poche pour le récupérer.

« Si les patients ont pris le contrôle, pourquoi es-tu toujours dans ta chambre ? demanda-t-elle. Pourquoi tu ne fais pas semblant d'être médecin, toi aussi ?

– Je voulais pas avoir de problèmes. Faire semblant d'être médecin, c'est pas mon truc. Je suis pas fou, vous savez. »

Même si Fonseca lui avait interdit de bouger, Touretto tendit la main pour se masser les testicules. La jeune femme les avait bien écrasés et ils étaient certainement très douloureux.

Elle garda un œil sur lui en pressant les touches de son téléphone. Il fallait qu'elle appelle Jack Munson. Il devait être mis au courant, et vite. Mais avant qu'elle ait le temps de composer son numéro, elle entendit un clic. Quelqu'un venait d'ouvrir la porte derrière elle.

26

L a journée de Silvio Mellencamp avait été pleine de rebondissements et beaucoup plus stressante qu'il n'en avait l'habitude. Il n'avait même pas eu le temps de s'habiller correctement. Aussi était-il très préoccupé lorsqu'il s'assit derrière son bureau vêtu de sa robe de chambre en soie couleur or. Le bureau était une réplique exacte de celui de Bill Clinton à la Maison-Blanche et l'espace pour les jambes en dessous était assez grand pour y accueillir deux filles du Minou Joyeux en même temps. Malheureusement pour Mellencamp, il avait été si occupé qu'il n'avait pas eu le temps de se faire sucer une seule fois en trois heures. Les coups de fil s'étaient enchaînés pendant qu'il essayait de se tenir au courant des derniers agissements criminels à B Movie Hell. Il avait passé la plus grande partie de l'après-midi derrière son bureau, à boire du cognac, fumer des cigares et regarder les infos. Et voilà qu'un nouveau visiteur impromptu venait une nouvelle fois le déranger.

Le jeune homme blond et débraillé qui venait de prendre place sur le siège en face de lui affichait un large sourire. Il s'appelait Cedric Trautman. Clarisse l'avait accompagné dans le bureau de Mellencamp parce qu'il prétendait avoir une «information importante» pour lui. Avant ça, il avait rendu visite à une des filles en bas et d'après l'expression sur son visage, il avait pris du bon temps.

«Qu'est-ce que je peux faire pour toi, fiston?» demanda Mellencamp. Il tira sur son gros cigare cubain et fit tomber la cendre dans un grand cendrier sur son bureau.

« Je cherche du travail et j'ai entendu dire qu'un poste s'était libéré. »

Mellencamp jeta un œil à son garde du corps, Mack, qui se tenait près de la porte. Celui-ci haussa les épaules d'un air désolé. La journée avait été un peu folle et il n'avait de toute évidence pas eu le temps de filtrer tous les visiteurs.

« On m'a dit que tu avais une information importante pour moi, dit Mellencamp en s'adossant à son fauteuil et en buvant une longue gorgée de cognac. J'espère pour toi que ce n'est pas le fait que tu cherches du boulot.

– En fait, c'est à propos de votre ami, Arnold », dit Cedric.

Mellencamp tira une nouvelle fois sur son cigare et souffla la fumée vers Cedric.

« Arnold est mort. »

Cedric toussa et agita la main devant son visage pour tenter de dissiper la fumée.

« J'ai entendu aux infos qu'Arnold s'est fait découper par ce type, là, l'Iroquois.

– Ce n'est pas nouveau.

– Oui, je sais, et c'est vraiment tragique et tout, mais je me suis dit que si je venais vous voir directement aujourd'hui et faisais preuve d'un peu d'initiative, vous pourriez me choisir pour le remplacer.

– Le remplacer ? Ah ! Tu sais qu'Arnold faisait environ cent choses différentes ici ? Tu n'es qu'un gosse. Quel âge as-tu ?

– Dix-neuf ans, monsieur.

– Dix-neuf ans, et tu penses pouvoir remplacer Arnold, un de mes plus vieux et plus chers amis ?

– Pas directement comme ça, monsieur. Je suis prêt à commencer par les petits boulots, mais je me suis dit que vous manquiez certainement d'hommes, et ça a toujours été mon rêve de travailler pour un baron du crime à B Movie Hell.

– *Baron du crime* ? Qui est-ce que tu traites de baron du crime ? demanda Mellencamp avec dédain.

– Eh bien, je veux dire, vous dirigez une maison close. Et j'ai entendu dire que, parfois, quand quelqu'un vous emmerde, vous le faites zigouiller. »

Mellencamp tira sur son cigare et regarda de nouveau Mack. Celui-ci, comme toujours, haussa les épaules.

« Zigouiller, marmonna Mellencamp. Je crois que tu regardes trop la télévision. Et le terme qu'on utilise ici, c'est éliminer.

– Éliminer. D'accord. Je m'en souviendrai. J'ai une super mémoire.

– Tu as une super mémoire. Eh bien, si c'est pas merveilleux, dit Mellencamp, d'humeur sarcastique. Et je suis un baron du crime, hein ? » Il tira sur son cigare. « Je crois que ça me plaît bien. Et tu sais quoi ? J'aime le fait que tu aies des couilles. Il en faut beaucoup pour débarquer ici le jour où mon pote Arnold se fait buter et proposer de le remplacer.

– Merci, monsieur. Mon père m'a toujours dit qu'il fallait faire preuve d'initiative. Le premier arrivé, etc.

– C'est un bon conseil, dit Mellencamp. Mais avant que j'accepte de faire de toi un de mes fidèles hommes de main, dis-moi, qu'est-ce que tu sais faire ?

– Ce que je sais faire ?

– Ouais, tu sais, tu as un talent particulier ? » Mellencamp montra du doigt Mack. « Prends Mack, par exemple. À ton avis, c'est quoi, son super talent ? »

Cedric regarda par-dessus son épaule pour observer Mack, qui l'observait également sans révéler la moindre émotion. Mack mesurait environ deux mètres de haut et presque autant de large. Son crâne rasé faisait la taille d'un ballon de basket. Ses biceps aussi étaient énormes. Ses mains fermement posées sur ses hanches étaient grandes comme des pelles. Mack avait les plus grandes mains de la ville et quand il serrait les poings, ils pouvaient passer à travers un mur.

Après avoir observé Mack pendant quelques secondes, Cedric se tourna vers Mellencamp qui lui souffla une autre bouffée de fumée au visage dans un timing parfait.

«Comme ça, je dirais que le super talent de Mack, c'est qu'il est doué pour soulever des choses», déclara Cedric d'un air confiant.

Mellencamp fronça les sourcils.

«Sans rire. Bien sûr qu'il est doué pour soulever des choses. Regarde sa taille. C'est un putain de géant. C'est l'évidence même. Et il n'y a rien de spécial à pouvoir soulever des choses. Mais il y a une histoire à propos de Mack et de son arrivée ici. Tu vois, Mack vivait dans l'Arkansas, qu'il a dû quitter parce qu'il était recherché pour meurtres. C'est un tueur à gages. Il a tué tellement de gens qu'il a gagné le surnom de Slasher.

– Slasher?

– Slasher, oui. Maintenant, devine pourquoi?»

Cedric balaya une autre bouffée de fumée qui arrivait dans sa direction.

«Je suppose qu'avec un surnom pareil, il doit savoir se servir d'un couteau. Donc j'imagine que son super talent, c'est de découper les gens avec un couteau, non?

– Faux! Il étrangle les gens. Ces mains immenses, elles peuvent tuer quelqu'un en quelques secondes. Je te garantis que lorsqu'il glisse ses mains autour de la gorge de quelqu'un, ce quelqu'un meurt en moins de dix secondes. C'est vraiment quelque chose à voir.»

Cedric se tourna vers Mack, puis vers Mellencamp. Ses sourcils étaient froncés d'incompréhension.

«Je comprends pas, dit-il. Pourquoi un étrangleur porterait le surnom de Slasher?

– Parce qu'il pisse sur toutes ses victimes[1].

---

1. To slash signifie couper, trancher, mais aussi aller pisser (to go for a slash). (NdT.)